Les 100 Personnages
les plus Nuls
de l'Histoire de France

MARC LEMONIER

City

© **City Editions 2012**

ISBN : 978-2-35288-805-5
Code Hachette : 50 8833 1
Couverture : © RMN / Gérard Blot

Rayon : Histoire
Collection dirigée par Christian English & Frédéric Thibaud
Catalogue et manuscrits : www.city-editions.com

Dépôt légal : premier trimestre 2012
Imprimé en France par France Quercy, 46090 Mercuès - n° 12137/

Antiquité et Empire romain

Brennus 11

Bituitos 14

Dumnorix 16

Poseidonios d'Apamée... 18

Licinius 19

Tetricus 21

Eudoxe.. 22

Le Moyen-Âge

Clotilde 27

Clodomir 29

Frédégonde 31

Brunehaut 33

Ébroïn 35

Childéric III... 37

Roland de Roncevaux.. 38

L'évêque de Lyon Agobard 41

Louis le Pieux 42

Louis II le Bègue 44

Étienne II de Blois 46

Saint Dominique... 48

Saint Louis... 50

Philippe et Gauthier d'Aulnay 51

Philippe V 53

Béhuchet 55

L'évêque Cauchon 58

La Renaissance

François Ier 63

Jean d'Oppède 65

Jean Ferron 66

Charles IX 67

Jacques Clément 69

Jean Châtel 71

Le Grand Siècle

Marie de Médicis 75

François de Montmorency-Bouteville 77

Urbain Grandier 78

Nicolas Fouquet 81

Monsieur de Montespan 83

Anne-Hilarion de Costentin, comte de Tourville 86

Le maréchal François de Villeroi 88

Guy Fagon 90

Le siècle des Lumières

Le cardinal Dubois 95

Louis Armand de Bourbon 97

Charles de Rohan Soubise 99

Jean-Baptiste de Machault d'Arnouville 101

Louis Joseph de Montcalm 102

Hubert de Brienne, comte de Conflans 104

François-Claude Amour, marquis de Bouillé 107

Jean-Charles Pichegru 109

L'Empire et la Restauration

Jacques Garnerin 113

Pierre Charles Silvestre de Villeneuve 115

Jean-Gabriel Marchand 117

Emmanuel, marquis de Grouchy 119

Le vicomte Bonald 121

Hugues Duroy de Chaumareys 122

Le chancelier Dambray 125

Le comte de Villèle 127

Pierre Deval 128

Charles X 130

Le maréchal Bertrand Clauzel 131

Aimable Jean Jacques Pélissier, duc de Malakoff 133

Le général Cavaignac 135

Eugène Rouher 137

Le Second Empire

L'impératrice Eugénie 141

Michel Chasles 143

La Païva 145

Le prince Napoléon 147

Agénor de Gramont 148

François Achille Bazaine 150

Gaston Alexandre Auguste de Galliffet 152

La IIIe République

Henri V 157

Patrice de Mac-Mahon 159

Jules Grévy 161

Le général Boulanger 163

Joseph Pujol 165

Léon Bourgeois 166

Le général Arthur Gonse 167

Le baron de Mackau 168

Jean-Baptiste Marchand 171

Jacques Lebaudy 173

Hubert Latham 175

François Reichelt 176

La Guerre de 14-18

Le maréchal Joffre 181
Le général Robert Georges Nivelle 183
Paul Deschanel 184
Paul Brandon.. 186
André Maginot 188

1940 et l'Occupation

Maurice Gamelin 193
Marcel Gensoul 195
Abel Bonnard 197
Gaston Bruneton 199
Le président Caous 200
Jules-Henri Desfourneaux... 202
Magda Fontanges... 204

La IVe et la Ve République

Marthe Richard 209
Ferdinand Lop... 211
Michel Tony-Révillon 213
Pierre Poujade 214
André Le Troquer 215
Raymond Haas-Picard 217
Marcel Barbu 218
Pierre Grappin 220
Raymond Marcellin.. 221

La date citée au début de la notice de chacun des personnages correspond à l'année particulière de leur existence où ils se montrèrent le plus radicalement nuls.

Ils sont nuls ?

Comment oser dire cela des héros sublimes de l'histoire de France ?

Nous savons depuis l'enfance qu'elle est une longue succession de récits épiques, de victoires glorieuses, de justes combats menés au nom des valeurs de la France éternelle. Nos manuels ont exalté le règne de monarques éclairés, célébré les grands hommes des arts et des lettres… Ah ! Jeanne d'Arc, Napoléon, Henri IV, Vercingétorix, Bayard, Charlemagne, Louis XIV… Des héros, des personnages au talent quasi surhumain et donc bien français !

Certes.

Mais, à côté d'eux, que de nuls !

On les oublie à tort, car ils sont bien distrayants. Il faudrait au contraire exalter les défaites cuisantes – souvent contre les Anglais d'ailleurs – causées par des stratèges imbéciles, les décisions absurdes ou les inventions grotesques, voire simplement les attitudes étranges ou stupides, faisant douter de l'intelligence ou du simple bon sens de leurs responsables.

Des nuls.

Les nuls de l'histoire de France – ceux que nous avons désignés de manière parfaitement arbitraire, suggestive et évidemment injuste – sont de toutes natures. Il y a évidemment des généraux battus ; ils sont souvent délectables, en particulier lorsqu'on jette un œil aux stratégies insensées qui vouaient leurs projets à l'échec. Il y a également un bon nombre de marins, des amiraux surtout, la France ayant constitué au fil des siècles une assez jolie collection de désastres navals. Des petits Trafalgar ponctuent notre histoire, et certains sont bien amusants...

Comme sont assez désopilants aussi ces ministres dont on ne retiendra que les gestes les plus stupides, ou ces monarques parfois aveuglés par le pouvoir au point de prendre des décisions étonnantes. Nous aurons aussi quelques savants et quelques dingues, candidats farfelus à des élections sérieuses ou espion(ne)s à la petite semaine, et même quelques cocus.

Bref, un joli tableau.

Vous auriez sans doute aimé y voir vos propres « nuls », car nous en avons évidemment oublié. Qu'on se rassure, un jour ou l'autre, on ne les loupera pas.

Antiquité
et Empire romain

Une lecture même inattentive des albums des aventures d'Astérix le Gaulois permet d'apprendre que les Gaulois étaient des guerriers irréductibles, bien décidés à résister à l'envahisseur romain… Balivernes. Certains d'entre eux se révélèrent particulièrement nuls. Les Romains tentant parfois de rivaliser avec eux en matière de nullité…

BRENNUS

À la conquête de Rome... pour rien
390 AV. J.-C.

Ce solide gaillard – dont le nom gaulois, Brennos, dérive du mot *brenn*, « chef de guerre » – a conquis Rome, pas moins.

Et qu'en a-t-il fait ? Rien.

Il est nul !

Rappelons les faits. Au IVe siècle av. J.-C., une bande de joyeux guerriers quitte la région d'Agedincum, l'actuelle ville de Sens, et ses vertes campagnes de l'Yonne et de la Seine-et-Marne. Ils mènent une campagne fulgurante qui les conduit aux portes de la ville étrusque de Clusium – aujourd'hui Chiusi.

Les habitants de Rome, toute proche, leur envoient une ambassade pour tenter d'éviter les combats. Mais la rencontre tourne mal ; les Romains sortent leurs armes, les Gaulois ripostent et fondent sur Rome que rien ne semble plus protéger de leur courroux et de leur goût pour le pillage, le viol et l'incendie de monuments publics. Au passage, ils ridiculisent l'armée romaine qui s'enfuit lors de la pitoyable bataille de la traversée de l'Allia à Véies.

Malheureusement, la mémoire des exploits de nos ancêtres à Rome reste entachée par un incident mineur : une bande de volatiles stupides donna l'alerte lors de l'assaut final du Capitole, la colline où les courageux soldats romains s'étaient mis à l'abri après avoir laissé les femmes, les enfants et les vieillards à la merci des assaillants dans la plaine.

Les Gaulois les violèrent ou les massacrèrent évidemment, ce sont les risques de la guerre, mais ils ne purent pas zigouiller aussi les valeureux légionnaires, à qui les oiseaux avaient donné l'alerte.

Aussi les « oies du Capitole » restent plus célèbres que les guerriers qui leur secouèrent les plumes…

Toujours est-il que Rome était conquise. Brennus aurait pu s'installer sur le Capitole après avoir exigé qu'on lui serve ces fichues oies en broche à tous les repas. Il n'en fit rien. Il négocia son départ en se faisant verser une rançon. Pour en déterminer le montant, on utilisa une balance.

Sur l'un des plateaux, Brennus posa quelques grosses pierres, tandis que les Romains accumulaient de l'or et des bijoux sur l'autre plateau…

Brennus, trouvant que la quantité d'or déterminée ainsi ne lui suffisait pas, fit un de ces beaux gestes qui marquent les historiens et enrichissent le répertoire de citations des latinistes : il jeta sa lourde épée sur le plateau de la balance en criant « *Vae Victis !* », « Malheur aux vaincus ! » Puis il prit l'or et quitta la ville. Rome aurait pu être gauloise, elle resta romaine. Et les Romains conçurent à l'occasion un désir de vengeance qui ne s'apaisa qu'avec la dérouillée d'Alésia et l'exécution de Vercingétorix. Nul !

A-t-il des circonstances atténuantes ?

Oui, indéniablement.

Que se serait-il passé si les Gaulois avaient occupé Rome ? Les guerriers sénons étaient évidemment doués pour la castagne, comme cette guerre éclair en témoigne, mais on ne les imagine pas en train d'administrer une grande ville.

Rome, dirigée par Brennus, serait sans doute rapidement redevenue un village peuplé de braillards avinés, et adieu la civilisation romaine. En se retirant avec son or, Brennus a sans doute rendu un grand service à l'humanité, qu'il aurait privée, par sa seule présence et son incompétence braillarde, du droit romain, de la littérature latine, des jeux du cirque, des orgies et autres « spécialités romaines ».

BITUITOS

Le roi battu des Arvernes

121 AV. J.-C.

Bituitos, fils de Luernos, régnait sur le peuple arverne et dominait les nations gauloises. À la tête d'une troupe de 200 000 hommes, il fut pourtant écrasé par une armée romaine dix fois moins nombreuse lors de la funeste bataille « du confluent », ce qui confirma l'emprise des Romains sur la Gaule.

Il est nul !

Les Romains, commandés par Gnaeus Domitius Ahenobarbus, intervenaient en Gaule « à l'appel » de leurs alliés marseillais – inventant une rengaine qui allait beaucoup servir au cours des siècles pour justifier une invasion.

Il s'agissait de repousser les peuples salyens, une confédération d'agités provençaux. Les chefs salyens se replièrent chez leurs voisins, les Allobroges et les Arvernes. Rome se servit de ce second prétexte pour attaquer les peuples gaulois de la vallée du Rhône et de la Saône et repousser une première fois les Allobroges sur les rives de la Durance.

Bituitos, qui règne sur les peuples arvernes et la majeure partie de la France actuelle, réunit ses troupes –

l'une des plus formidables armées de son temps – composées de fantassins et de dizaines de milliers d'archers ruthènes. Les combats se déroulent aux abords du confluent de l'Isère et du Rhône.

Malgré son évidente supériorité numérique, l'armée de Bituitos est décimée et vaincue par les troupes de Fabius Maximus – dotées, il est vrai, d'une arme secrète : des éléphants caparaçonnés, équivalents romains de nos chars d'assaut. Cette « bataille du confluent » a pour conséquence immédiate la perte d'influence des Arvernes et la confirmation des prétentions romaines à annexer notre territoire. Sacré Bituitos !

A-t-il des circonstances atténuantes ?

Il est amusant.

Bituitos était peut-être un piètre stratège, mais on ne peut pas lui ôter un certain goût pour la mise en scène. Dans son histoire romaine, Appien décrit son train de vie : « *Au moment où le général quittait le territoire des Salyens, un ambassadeur de Bituit, roi des Allobroges* [en réalité, des Arvernes], *en somptueux équipage, vint au-devant de lui : il était escorté de gardes richement vêtus et de chiens. Les barbares en ces*

contrées ont aussi une garde de chiens. Un poète suivait, qui dans une poésie barbare chantait le roi Bituit, puis les Allobroges, puis l'ambassadeur lui-même, leur naissance, leur courage et leurs richesses. » Un autre historien affirme qu'à sa cour, ses « *richesses et le faste étaient si extraordinaires que, pour faire montre à ses amis de son opulence, il se promenait sur un char dans la campagne, en semant çà et là de la monnaie d'or et d'argent, que ramassaient les gens de sa suite ».* Bref, il avait la classe !

DUMNORIX
Traître et lâche
58 AV. J.-C.

D umnorix, chef éduen, complota avec le chef helvète Orgétorix et le Séquane Casticus pour prendre le pouvoir sur leurs peuples respectifs dans le dos de César, dont ils faisaient mine d'être les alliés. Traître à César, Dumnorix le fut avec à peu près tous ses malheureux alliés.

Dans le monde romain, il incarne le fourbe, le lâche et le traître, l'antithèse d'un héros national.

Il est nul !

Dumnorix est l'incarnation d'un genre de Gaulois dont la version officielle de notre histoire préfère oublier l'existence. Quelques années avant l'insurrection flamboyante de Vercingétorix, fédérant tous les chefs de tribus pour aller combattre les armées romaines, les Gaulois n'étaient pas des rebelles aux envahisseurs, mais souvent d'aimables collaborateurs, toujours prêts à donner un coup de main aux occupants. Dumnorix n'était pas le dernier. Il est surtout l'incarnation du trouillard. César fait appel à la cavalerie du peuple éduen pour l'aider à conquérir l'actuelle Grande-Bretagne. Si on en croit le texte de *La Guerre des Gaules*, Dumnorix refusa en usant de prétextes fallacieux : « *Dumnorix commença par user de toutes sortes de prières pour obtenir qu'on le laissât en Gaule : "Il n'avait pas l'habitude de naviguer et redoutait la mer ; il était retenu par des devoirs religieux." Quand il vit qu'il se heurtait à un refus catégorique, n'ayant plus aucun espoir de succès, il se mit à intriguer auprès des chefs gaulois, leur faisant peur, les prenant chacun à part et les exhortant à rester sur le continent...* » La vérité, c'est qu'il avait peur et qu'il préférait rester sur le continent pour comploter tranquillement.

Qui résiste à César serait donc un héros national... Eh bien, non, pas vraiment. Car, dans le même temps, Dumnorix se manifesta surtout dans la catégorie « intrigant ».

Son objectif n'a jamais été de rendre sa liberté aux peuples gaulois, mais de conquérir le pouvoir absolu sur la Gaule tout en restant copain avec César. Il était très pris par un complot impliquant son beau-frère Orgétorix.

A-t-il des circonstances atténuantes ?

Sa seule circonstance atténuante : César le fit arrêter et exécuter, et la cavalerie de Dumnorix fut embarquée pour Londinium.

POSEIDONIOS D'APAMÉE
Caricaturiste de nos ancêtres
les Gaulois
51 AV. J.-C.

Cet historien est d'origine grecque, mais il n'en reste pas moins l'un des grands nuls de notre histoire nationale. Il nous a immédiatement fait passer pour des andouilles, inscrivant dans le marbre quelques préjugés racistes qui allaient définitivement rabaisser les Gaulois au rang de grands benêts : *« Ils sont de grande taille, leur chair est molle (humide même) et blanche. Leurs cheveux sont blonds. »* Voilà, tout est dit : les Gaulois sont de grands blonds à chair molle et « humide ». Autant dire qu'ils puent.

Il est nul !

Il est d'autant plus nul que ces avis définitifs sur un peuple de vaillants guerriers sont le fruit de quelques semaines de vadrouille dans le sud de la Gaule. Poseidonios d'Apamée est l'ancêtre de tous les journalistes d'investigation qui ne sortent pas de leurs hôtels et de tous les touristes qui reviennent avec des avis définitifs sur l'état d'une civilisation à la fin d'une semaine en club dans un pays exotique... Ces divagations n'auraient pas plus d'importance que ça si César en personne ne les avait reprises telles quelles dans ses *Commentaires sur la guerre des Gaules*, suivi par quelques historiens adeptes du copier-coller, comme Strabon ou Diodore de Sicile.

A-t-il des circonstances atténuantes ?

Certes, car il déclara par ailleurs : « *Leurs femmes sont belles et bien faites… »*

LICINIUS

Un traître cupide et sans scrupules

16 AV. J.-C.

Les Gaulois collaborant avec l'envahisseur romain, on connaît ; ce fut même malheureusement une attitude assez fréquente. Mais celui-ci l'emporte sur tous ses congénères.

Car, élevé aux plus hautes responsabilités, il se fit surtout remarquer par son avidité, sa méchanceté et son incroyable culot lorsqu'il s'agissait de faire payer toujours plus de taxes et d'impôts.

Il est nul !

Dans son *Histoire romaine*, Don Cassius raconte : « *Licinius était gaulois d'origine : pris par les Romains et devenu esclave de César, il fut affranchi par lui et constitué par Auguste procurateur de la Gaule.* » Licinius mit aussitôt à profit son statut pour s'en mettre

plein les poches. Don Cassius poursuit : « *Ce personnage, avide comme un barbare et orgueilleux comme un Romain, savait trouver beaucoup d'argent pour les besoins du service qui lui était assigné ; il en recueillait beaucoup aussi pour lui-même et pour les siens.* »

Rien que de très banal sinon que Licinius employait à l'occasion des méthodes d'une charmante originalité : « *Il en vint à ce point de méchanceté que, certains tributs dans ce pays-là se payant par mois, il en porta le nombre à quatorze, alléguant que celui qui est appelé décembre était en réalité le dixième, et qu'il fallait, pour cette raison, en compter deux autres, qu'il nommait l'un le onzième, l'autre le douzième... »*

A-t-il des circonstances atténuantes ?

Non, mais un incroyable culot. Car « *quand il s'aperçut qu'Auguste était irrité, et qu'il se vit sur le point d'être puni, il mena le prince dans sa maison, et, lui montrant ses nombreux trésors remplis d'or et d'argent, quantité d'autres objets précieux entassés en monceaux : "Maître, c'est à dessein, lui dit-il, c'est dans ton intérêt et dans celui des Romains que j'ai rassemblé tout cela, de peur que les indigènes, à la tête de tant de richesses, ne fassent défection. Aussi je les ai toutes conservées pour toi et je te les donne."* » Auguste fit semblant de le croire, et les Gaulois continuèrent à payer bien trop d'impôts.

TETRICUS

L'Empereur des Gaules
ridiculisé par les Romains
274

Caius Pius Esuvius Tetricus, préfet de la région d'Aquitaine, régna sur la Gaule de 271 à 273 sous le nom de Tetricus Ier. Il succéda à Victorinus – mort assassiné par un mari jaloux –, dont il était le petit protégé, ou plutôt celui de l'épouse. Empereur des Gaules, ça avait de la gueule ! Et si le titre avait perduré, notre pays aurait sans doute eu une histoire différente.

Mais l'empereur Aurélien ne l'entendait pas de cette oreille et, en 274, il mit une raclée mémorable aux troupes de Tetricus.

Il est nul !

Tetricus est nul, c'est une quasi-évidence. Il a d'abord fait acte d'allégeance auprès des Romains en s'alliant à eux pour lutter contre les légions dissidentes du Rhin et de Bretagne.

Mais cela n'a pas suffi, et il s'est fait ridiculiser et battre par les Romains. C'est un fait. Pire encore : il s'est prosterné devant Aurélien son vainqueur, implorant sa clémence en citant Virgile – *« Arrache-moi, ô invincible, à mes tourments »* – pendant que son armée se faisait massacrer. La défaite de Tetricus, accompagné dans la déchéance de son fils Tetricus II, marque la fin de toute velléité d'indépendance de la Gaule romaine, définitivement annexée à l'Empire après une période d'émancipation.

A-t-il des circonstances atténuantes ?

Tetricus n'était pas taillé pour le job.

Ses soldats l'avaient porté au pouvoir alors qu'il n'en avait pas forcément envie. Par ailleurs, il n'avait strictement pas confiance en ses propres généraux et leurs troupes. Les légions gauloises avaient la manie de destituer ou d'assassiner leur empereur.

Comment, dans ces conditions, organiser la résistance face à des armées romaines galvanisées par de récentes victoires en Asie Mineure ?

Pour la peine, il fut exhibé, enchaîné, lors du retour triomphal d'Aurélien à Rome.

EUDOXE
Guerrier pas fier
448

Eudoxe, un médecin, est le chef de la dernière rébellion des Bagaudes. Ce qui fait de lui l'un des ancêtres des voleurs de grands chemins à prétention sociale, et une sorte de Robin des bois de l'ère gallo-romaine… Soit ! Mais ce défenseur de la veuve et de l'orphelin, vaincu et pourchassé par les légions romaines, alla gentiment se mettre à l'abri à la cour d'Attila. Notre pire ennemi !

Il est nul !

Un traître à la nation, donc ; mais surtout un chef de bande. Les Bagaudes étaient des bandes armées de brigands qui déferlèrent sur le nord-ouest de la Gaule durant les IIIe et IVe siècles. Leur nom vient du mot celtique *bagad*, qui signifie « troupe » ou « attroupement » – songez aux bagads, ces orchestres de joueurs de biniou ou de cornemuse. Les bandes étaient constituées de soldats déserteurs, de paysans écrasés par les impôts, d'esclaves en rupture de ban. Eudoxe tenta de les fédérer, mais, vaincu, il fila hors de Gaule sans plus se soucier de ses troupes…

A-t-il des circonstances atténuantes ?

Oh ! que oui !

Les Bagaudes étaient composés de victimes des bouleversements du temps, qui, en s'organisant en bandes, tentaient de lutter contre les conséquences des grands froids, de la famine, des incursions répétées des barbares ou des percepteurs. Il y eut des Bagaudes dans l'ensemble de la Gaule durant près de deux siècles. Des bandes essaimèrent jusqu'en Espagne, où elles s'opposèrent aux Wisigoths.

Le Moyen-Âge

Il fut longtemps admis que le Moyen-Âge était l'ère des ténèbres, une sorte de long interlude de mille ans, de la fin de l'Empire romain à la découverte de l'Amérique, durant laquelle il ne se passa presque rien d'intéressant. Tout au plus reconnais-  sait-on aux pauvres gens ayant vécu durant cette période inintéressante un certain talent pour l'architecture – romane, puis gothique – et un solide bon goût en matière de réjouissances populaires – tournois, guerre de Cent Ans, massacre des Templiers… Pourtant, il faut reconnaître aujourd'hui qu'à cette époque on savait aussi se comporter en gros nuls. Les nuls médiévaux ne sont pas moins nuls que les autres.

CLOTILDE

Elle fait assassiner ses petits-enfants

511

La reine Clotilde joue un rôle assez central dans l'histoire française. Par son insistance et sa ruse, elle réussit à convaincre son mari de se convertir à la religion catholique… Rien de bien grave ! Mais, par la suite, cela se gâte. Clotilde se rendit odieusement célèbre en préférant qu'on assassine deux de ses petits-enfants plutôt qu'on leur coupe les cheveux…

Elle est nulle !

Oui, vous avez bien lu : « plutôt égorgés que tondus », les moutards !

Tentons de résumer l'affaire. En 511, à la mort de Clovis, la reine Clotilde va se retirer à Tours, à proximité du tombeau de saint Martin. Elle n'en reste pas moins très active et influente pour s'occuper des affaires du royaume. Ces trois fils, Clodomir, Childebert et Clotaire, ne sont pas des lumières, il faut dire.

Heureusement que maman est là. D'autant que les trois frères sont loin de s'entendre. Et c'est là le drame. Ils partent à la conquête du royaume burgonde pour régler radicalement une affaire de famille assez embrouillée. Clotilde est la tante du roi Sigismond, ce qui ne l'a pas empêchée de le faire assassiner. Elle envoie ses fils récupérer le royaume dont elle a fait éliminer le souverain par son cher Clodomir.

Et ça se passe très mal. Les armées burgondes reculent, laissant les Francs envahir Lyon. À leur tête, Godomar III, frère du roi assassiné, organise une embuscade près du village de Vézeronce, non loin de l'actuelle ville de la Tour-du-Pin – on y reviendra.

Les Francs sont défaits ; pire encore, le roi Clodomir est capturé et assassiné. Les soldats burgondes le décapitent et plantent sa tête au bout d'une pique pour la présenter aux troupes.

Et c'est alors que les deux frères survivants, Childebert et Clotaire, démontrent leur immense amour de la famille. Pour s'emparer du trône laissé vacant par Clodomir, ils capturent ses trois fils et mettent le marché sur la table : « Soit on leur coupe les cheveux, soit on les tue. » Et Clotilde, en bonne grand-mère, glapit : « Qu'on les tue ! »

A-t-elle des circonstances atténuantes ?

Pas vraiment, mais il y a une explication, disons, « culturelle ». Chez les Francs, la longue chevelure était un des attributs du pouvoir. Un héritier tondu ne pouvait donc pas être roi, définitivement déshonoré et écarté qu'il était du trône. Il n'empêche : deux d'entre eux furent exécutés ; le troisième réussit à s'enfuir. Le petit Clodoald voua sa vie à la prière.

Il connaît encore une certaine notoriété sous le nom de saint Cloud. Childebert et Clotaire se partagèrent évidemment le royaume de leur frère.

CLODOMIR
La défaite pour une petite erreur d'appréciation...
524

Les grandes défaites sont assez souvent la consé-quence de décisions absurdes. Clodomir, roi des Francs du royaume d'Orléans depuis 511, est engagé avec ses frères Clotaire et Childebert dans une guerre contre leur cousin le roi burgonde Sigismond.

La bataille décisive se déroule donc à Vézeronce, en Isère. Clodomir y commet une petite erreur d'apprécia-tion et, croyant qu'il s'agit de l'armée franque, jette ses troupes au milieu de l'ennemi.

Il est nul !

Ah ! mais à ce point-là, ça en devient presque poétique !

Déjà, les origines de ce conflit absurde ont des allures de querelles de cour de récréation ou d'embrouilles à la fin d'un repas de famille.

À ceci près que l'objectif est de conquérir le royaume burgonde, notre actuelle Bourgogne et ses vignobles. Les troupes de Clodomir traversent donc le pays durant le printemps 524. Les troupes burgondes, quant à elles, se replient vers le sud-est, laissant les Francs atteindre Lyon.

La bataille s'engage dans une plaine près du village de Vézeronce.

La victoire de l'armée de Clodomir sur les Burgondes semble acquise, mais il commet alors une incroyable erreur : il ordonne à ses troupes d'aller au contact d'un groupe qu'il prend pour ses propres soldats de la cavalerie franque.

Oh ! la boulette ! Il s'agit bien au contraire du gros des troupes burgondes. Les Francs sont réduits en pièces par les Burgondes qui ne pensaient pas que la victoire allait leur être livrée comme ça sur un plateau.

A-t-il des circonstances atténuantes ?

Comme stratège, pas vraiment…

Mais saluons tout de même la mémoire d'un homme qui connut un sort funeste.

Après sa capture et son assassinat, les troupes burgondes décapitèrent Clodomir et fichèrent sa tête au bout d'une pique pour l'exhiber devant les troupes victorieuses. Et puis il y a un doute sur l'issue réelle de la bataille.

Grégoire de Tours, l'historiographe des royaumes francs, affirme que les troupes franques furent galvanisées par la vue de la tête de leur roi assassiné et qu'elles le vengèrent en massacrant les Burgondes. Mais rien n'est moins sûr.

FRÉDÉGONDE
Reine et serial killer arriviste
568

Frédégonde appartient à une catégorie particulière de nulles : les méchantes, les arrivistes, les comploteuses ne reculant jamais devant un petit assassinat, y compris en famille. En 568, elle fait étrangler la reine Galswinthe, qui venait d'épouser le roi Chilpéric.

Elle est nulle !

Elle est surtout prête à tout pour devenir reine.

Elle a consacré toute sa jeune vie à la réalisation de cet objectif, en commençant par se faire accepter parmi les suivantes de la reine Audevère, première épouse de Childéric Ier. Elle n'attend pas trop longtemps avant de devenir la maîtresse du roi ; il faut dire qu'elle est gironde.

Il la prend même pour concubine, une pratique assez courante chez les rois francs qui collectionnaient les maîtresses officielles sans que cela tire trop à conséquence. Profitant de son influence sur le souverain, surtout au lit, elle lui fait promettre de l'épouser…

Et comme cela tarde à venir, elle monte un coup fumant pour déconsidérer la reine en la poussant à tenir elle-même son nouveau-né sur les fonts baptismaux. La pauvre Audevère avait simplement oublié qu'elle commettait là une lourde faute aux yeux de l'Église. En devenant la marraine de son propre enfant, elle se comportait comme si elle renonçait à être la compagne du papa du bébé, sous peine d'être accusée d'inceste…

Cela paraît absurde, mais l'Église était très chatouilleuse avec ces choses-là à l'époque.

Chilpéric se remarie, mais pas avec Frédégonde qui s'en étouffe de colère. Le roi épouse Galswinthe, la sœur de la reine Brunehilde, fille du roi des Wisigoths Athanagild… Frédégonde bout de rage et, quelque temps plus tard, fait étrangler la reine dans son lit ! Au moins, ça, c'est fait.

A-t-elle des circonstances atténuantes ?

Chilpéric pensa que oui.

Frédégonde lui avait rendu un petit service en assassinant sa femme. Car la victime s'apprêtait à le trahir en filant en Espagne. Le roi épousa donc enfin Frédégonde la régicide, ce que la morale devrait condamner. Il ne lui resta plus qu'à calmer son ex-belle-famille qui exigea le retour des villes que la reine défunte avait apportées en dote au roi. Cette exigence entraîna une guerre civile à n'en plus finir. C'est une spécialité française, ne leur jetons pas la pierre.

Malheureusement pour sa postérité, Frédégonde n'en resta pas à son premier crime : elle fit liquider quelques-uns des fils de son mari, pour être bien certaine que son propre enfant puisse accéder au trône. Elle alla même jusqu'à faire assassiner un évêque dans la cathédrale de Rouen. Grégoire de Tours, qui nous raconta l'affaire, exprime à son propos une forme de « dégoût » et la décrit comme la reine la plus cruelle de son temps.

Il ne faut pas pousser le bouchon trop loin.

BRUNEHAUT

Le pouvoir à tout prix

576

Brunehaut est une victime indirecte de Frédégonde. Ce n'est qu'à la suite d'une longue série d'assassinats perpétrés parmi les membres de sa famille qu'elle dut se résoudre à l'impensable : épouser son propre neveu !

Elle est nulle !

Brunehaut, comme sa contemporaine Frédégonde, était tout sauf une faible femme, et il valait mieux savoir se défendre durant cette époque troublée où la cour des rois francs vivait au rythme d'un assassinat politique par semaine…

En résumé, Frédégonde est la fille du roi wisigoth Athanagild et l'épouse du roi mérovingien d'Austrasie Sigisbert Ier. Tout se passe plutôt bien pour elle jusqu'au déclenchement d'une guerre absurde aux relents de sanglante querelle familiale. Galswinthe, la sœur de Brunehaut, est assassinée par les sbires de Frédégonde. C'était également la belle-sœur de Brunehaut puisqu'elle était l'épouse de Chilpéric Ier, le demi-frère de Sigisbert. Deux des royaumes francs, l'Austrasie et la Neustrie, s'opposent durant de nombreuses années à la suite de cet assassinat.

En 575, deux soldats envoyés par Frédégonde assassinent le roi Sigisbert Ier à Vitry-en-Artois près d'Arras. Son successeur désigné est un enfant de cinq ans, le roi Childebert II.

Brunehaut intrigue pour assurer une régence à poigne et conserver le pouvoir. Pour que son affaire soit tout à fait assurée, elle décide de se glisser à nouveau dans la dynastie en épousant Mérovée, le fils de Chilpéric Ier. Un détail, donc, c'est son neveu.

A-t-elle des circonstances atténuantes ?

La pauvre !
Brunehaut fut sans doute une vilaine femme, mais elle le paya fort cher. Le petit roi Mérovée ne fit pas long feu : son père le fit arrêter, tonsurer et cloîtrer à Tours. Les péripéties de l'existence de Brunehaut ne seront plus qu'une longue suite de coups d'éclat et de coups d'État. Elle réussit en particulier à conserver la régence largement au-delà de la majorité de son fils.

À la suite d'une série de conflits dynastiques et territoriaux, Brunehaut fut arrêtée par les troupes du roi neustrien Clotaire. Âgée de 70 ans, elle est atrocement suppliciée : on l'expose nue à dos de chameau, puis elle est attachée à la queue d'un cheval indompté…

Mais surtout, Brunehaut fut sans doute l'une des personnalités politiques les plus cultivées de son temps. Elle tenta d'imposer une conception unificatrice du pouvoir royal à des roitelets qui ne songeaient qu'à s'étriper et elle avait en matière de religion des conceptions œcuméniques, voire laïques, tout à fait modernes.

Mais il ne faut pas, tout de même, pousser le bouchon trop loin (bis).

ÉBROÏN

Stupide, méchant et cruel

679

Ébroïn fut maire du Palais durant le règne de Clotaire III, un poste auquel il fut élu en 659. La fonction de *quasi magister palatii seu Major domus regiæ* était généralement tenue par des hommes d'une grande sagesse, capables de gérer aussi bien l'intendance du Palais que de devenir des presque « premiers ministres » des rois mérovingiens. Charles Martel et plus encore son fils Pépin le Bref furent maires du Palais. Un bon job.

Disons-le, Ébroïn fut sans doute le pire d'entre eux ! Violent, cruel et de surcroît stupide. On ne se souvient de lui que pour un événement : les supplices et le martyre épouvantable qu'il fit subir à saint Léger, l'évêque d'Autun.

Il est nul !

Comment choisir une année particulière de sa carrière, alors qu'elle ne fut qu'une succession d'actes inconsidérés, de batailles et de crimes abjects ? À partir de son accession au poste en 659, il outrepassa régulièrement son rôle en jouant au « faiseur de rois », mettant selon son humeur les prétendants qu'il préférait sur le trône, comme ce pauvre Thierry III, qui se fit rapidement détester et refila la couronne à son frère Childéric II. Ébroïn mit le royaume à feu et à sang pour maintenir au pouvoir un dénommé Clovis III, dont personne ne reconnaissait l'autorité. Ce qui lui valut d'être tondu –

la honte – et momentanément enfermé dans un monastère. Les bêtises et les violences d'Ébroïn conduisirent à la sécession d'une partie du royaume avec l'autonomie de l'Aquitaine.

Pourtant, ce ne sont pas ces péripéties politiques que retint l'histoire, mais bien la « querelle » qui l'opposa à saint Léger. Il lui reprochait de s'être mêlé de politique et d'avoir osé défendre les pouvoirs locaux et ecclésiastiques contre le pouvoir central. Ébroïn fait assiéger Autun, s'empare de Léger et fait subir les pires souffrances à cet homme d'Église qui osait le défier : il lui fit crever les yeux, puis l'obligea à marcher dans une piscine dont le sol était semé de pierres tranchantes. On lui taillada les joues, on lui coupa la langue, on lui déchiqueta les lèvres... et pourtant, saint Léger survécut deux ans. Lassé par tant de résistance, Ébroïn lui fit trancher la tête. Saint Léger fut aussitôt l'objet d'une grande piété.

A-t-il des circonstances atténuantes ?

Non. Ébroïn est un bel exemple de monstre sanguinaire.

Il mourut comme il avait vécu : violemment, assassiné par Ermenfroi, un seigneur franc qu'il avait dépouillé de ses biens. Bien fait !

CHILDÉRIC III
Le roi fainéant
751

C'est l'archétype des rois fainéants et le dernier des Mérovingiens.

Childéric III est considéré comme l'un des pires souverains ayant régné en France. La preuve, il a été déposé par Pépin le Bref... Et comme si cela ne suffisait pas, son accession au trône est tout aussi infamante que son éviction. Childéric, sans énergie ni soutien populaire, avait été projeté au pouvoir par Charles Martel qui cherchait un successeur pas trop encombrant au roi Thierry IV.

Il est nul !

Évidemment.

On sait si peu de choses de ce personnage transparent qu'il doit bien y avoir une part de vérité dans la légende qui l'entoure. Le fils de Chilpéric II est l'incarnation de ces rois se laissant bringuebaler dans des charrettes, somnolant dans des couches profondes, entourés de maîtresses lascives.

Il n'eut sans doute jamais la moindre autorité. À la mort de Thierry IV, le maire du Palais, qui avait la haute main sur les affaires du royaume d'Austrasie, laissa le trône vacant interminablement, juste pour le plaisir de démontrer l'inutilité de la famille régnante.

Et puis, comme la noblesse commençait à s'agiter, Childéric est nommé roi avec pour consigne d'en faire le moins possible.

Quand Pépin le Bref en eut assez de ce roi fantoche, il le déposa, sans autre forme de procès et avec l'accord du pape Zacharie. Childéric est tonsuré et expédié, contre sa volonté évidemment, au monastère Saint-Bertin, près de Saint-Omer, où il meurt en 754 ou 755. Pour éviter toute survie de la dynastie mérovingienne, son fils Thierry est lui aussi emprisonné dans un couvent.

Pépin le Bref se fait alors élire par acclamation à Soissons par une assemblée de nobles et d'ecclésiastiques. Les Carolingiens succèdent aux Mérovingiens. Tant pis pour Childéric III.

A-t-il des circonstances atténuantes ?

La paresse est-elle un défaut ?

Pas vraiment. Alors, oui, il a quelques excuses. Childéric III est un personnage totalement sans consistance – un véritable nul ! –, mais qui n'a, semble-t-il, commis aucune mauvaise action.

ROLAND DE RONCEVAUX
Battu par des... bergers basques !
778

Un héros national ? Lui ?
Roland, dit de Roncevaux, doit tout à son chargé de com', un dénommé Turold, auteur de *La Chanson de Roland* qui réussit à faire passer pour héroïque une défaite ridicule.

Ce pauvre Roland, que la chanson présente comme le neveu du futur empereur Charlemagne, fut battu à plate couture par des Vascons après avoir mené une expédition punitive inutile – déguisée en croisade – contre les habitants de Pampelune.

Il est nul !

Il n'existe pratiquement aucun texte qui décrive de manière certaine la vie et la mort peu glorieuses de Roland. En revanche, les légendes abondent, qui donnent parfois des renseignements finissant par se recouper. Nous savons donc que Roland est sans doute le fils de Gisèle, la sœur de Charlemagne –  et donc son neveu –, mais certains auteurs affirment aussi que cette pauvre fille passa toute sa vie enfermée dans un couvent.

Toujours est-il que Roland, devenu préfet des Marches de Bretagne, accompagne le futur empereur dans toutes ses entreprises militaires.

L'expédition qui lui fut fatale a des causes assez embrouillées. Charlemagne aurait été appelé à la rescousse par Sulayman ibn Yaqzan al-Arabi, le gouverneur d'une région englobant l'actuelle Catalogne, qui se sentait menacé par son voisin, Abd al-Rahman Ier, l'émir de Cordoue.

Seulement, pendant le temps que les troupes mirent pour venir jusqu'au nord de l'Espagne, Sulayman avait été remplacé, et son successeur n'avait aucune envie de voir son territoire annexé par Charlemagne.

Aussi les armées musulmanes allèrent-elles s'enfermer dans la ville de Saragosse, dont Charlemagne renonça à faire le siège.

L'affaire de Roncevaux se déroule sur le chemin du retour de cette épopée inutile – dont Charlemagne fit en sorte que l'on crût qu'il s'agissait d'une croisade contre les mécréants musulmans.

Roland commande l'arrière-garde de l'armée de Charlemagne. Ses cavaliers sont lourdement armés et chargés, les troupes peinent à grimper les chemins sinueux des Pyrénées qui les emmènent vers le col.

C'est alors que la légende commence à prendre ses aises avec la réalité. Ganelon, beau-frère de Charlemagne, jaloux de Roland, aurait comploté avec le calife Marsile, roi des Sarrasins.

Les troupes hérétiques se seraient alors jetées sur l'arrière-garde de l'armée de Charlemagne, tuant Roland après une résistance héroïque durant laquelle il sonna du cor pour appeler tonton au secours…

Mais ce n'est sans doute pas vrai. Si Roland est mort au col de Roncevaux, ce n'est pas sous le coup de troupes musulmanes, mais dans un guet-apens tendu par des Vascons – peuple de la péninsule ibérique – qui en voulaient à ses réserves de vivres. C'est pas trop la classe ! Et même un peu nul.

A-t-il des circonstances atténuantes ?

Militairement, sans doute, comment juger ? Mais sa principale excuse tient à la postérité. Sa pitoyable mésaventure est à l'origine de la rédaction de l'un des premiers chefs-d'œuvre de la littérature française. On peut passer.

L'ÉVÊQUE DE LYON AGOBARD
Pionnier de l'antisémitisme
816

A gobard, évêque de Lyon, a inventé un genre litté-raire dont la France aurait pu se passer : le texte antisémite. Il a bien fallu que quelqu'un commence, et ce fut lui.

Il est nul !

Non seulement Agobard invente le pamphlet antisé-mite, mais il utilise par avance toutes les images et les arguments qui allaient être repris par ses nombreux successeurs. Les Juifs lyonnais seraient, selon lui, des privilégiés… Protégée par Louis le Pieux, la commu-nauté, bénéficiant de privilèges nombreux en matière de justice ou de religion, serait en outre exonérée de péage.

Dans son *Histoire des Juifs*, l'historien Henricj Graëtz raconte l'origine de sa rancœur : « *Une esclave s'était enfuie de la maison de son maître, un Juif de Lyon, et, pour être émancipée, s'était fait baptiser par Agobard (vers 827). Les Juifs, voyant dans l'interven-tion de l'évêque une atteinte à leurs droits, demandèrent à Évrard, le maître des Juifs, de faire rendre l'esclave fugitive à son propriétaire. Agobard refusa d'obtempé-rer à la demande d'Évrard. La lutte fut longue entre les Juifs et Agobard ; à la fin, celui-ci fut destitué.* » Furax, il se mit donc à fustiger les Juifs en prétextant qu'ils étaient des ferments de division au sein de l'Em-pire. Ces textes, comme *De judaicis superstitionibus*, très liés à un contexte particulier et plus proches d'un antijudaïsme religieux que de l'antisémitisme contemporain, furent malheureusement considérés comme des références.

A-t-il des circonstances atténuantes ?

Disons que ses cinq lettres aux juifs de Lyon, qui ont attiré l'attention sur son antijudaïsme, ne constituent qu'une part très minime de son activité. Agobard est l'un des ecclésiastiques à l'origine de la Renaissance carolingienne, ce mouvement intellectuel qui réveilla le Moyen-Âge après quelques siècles de barbarie.

LOUIS LE PIEUX
Le dépeceur de l'Empire
817

« *Q*uand le lion est mort, les chacals se disputent l'empire. On ne peut pas demander plus aux Volfoni qu'aux fils de Charlemagne... » disait Francis Blanche dans *Les Tontons flingueurs*. Ne chipotons pas, maître Folasse ; ce sont plutôt les petits-fils de l'empereur qui découpèrent l'Empire en tranches. Mais la faute de ce partage stupide en revint bel et bien à l'héritier de Charlemagne, le roi Louis le Pieux.

Il est nul !

Charlemagne avait eu une bonne quinzaine d'enfants, avec l'une ou l'autre de ses six concubines ou de ses cinq

épouses légitimes et successives.
Louis est le fils d'Hildegarde de
Wintgau, qui devint la seconde
épouse de l'empereur à l'âge
de 13 ans. Elle eut neuf enfants,
dont quatre garçons. Les frères
de Louis eurent le bon goût de
mourir jeunes, ou de devenir
fous, comme Pépin le Bossu, le
premier-né de l'empereur.

Louis le Pieux, avant même la mort de son père, était
déjà roi des Aquitains, et Charlemagne lui-même avait
bel et bien l'intention de partager l'Empire entre ses
fils. Louis le Pieux, seul survivant mâle, aurait parfaitement pu se dispenser de faire savoir qu'il allait l'imiter.
Il a pourtant la funeste idée de désigner de son vivant et
dès 817 ses trois fils, Lothaire, Louis et Pépin, comme
les héritiers de l'Empire…

Les mouflets n'ont plus qu'à attendre que papa casse
sa pipe pour aller régner sur l'Occident, la Germanie ou
l'Aquitaine.

Mais catastrophe ! Louis le Pieux, veuf, se remarie avec une jeunette qui lui donne un quatrième fils,
Charles, dit le Chauve. La succession devient donc
une foire d'empoigne, le quatrième enfant désirant sa
part de l'Empire. À la mort de Louis le Pieux, les trois
premiers fils se liguent contre leur demi-frère. Puis
Charles s'allie à Louis le Germanique, rompant ainsi
l'alliance naturelle des frères…

Les guerres opposant les partisans des différents héritiers se poursuivirent jusqu'au traité de Verdun en 843,
instituant le partage définitif de l'Empire en trois grands
royaumes qui recouvraient la surface de la France d'au-

jourd'hui – amputée de la Bretagne – et de l'Europe de l'Ouest jusqu'aux frontières actuelles de l'Allemagne, et vers le sud jusqu'à la Lombardie.

A-t-il des circonstances atténuantes ?

Personne en son temps n'aurait songé à se comporter différemment. Le partage était quasi la règle. Mais l'empire de Charlemagne, tout de même…

LOUIS II LE BÈGUE
Roi sans énergie ni pouvoir
877

Tous les « rois qui ont fait la France » n'ont pas été des souverains flamboyants, éclairés, simplement autoritaires et capables de gouverner… Il y en a eu quelques autres, des seconds rôles, des mal-aimés, des nuls, donc, et Louis II le Bègue est l'un des plus représentatifs.

Il est nul !

Comme son surnom l'indique, il est d'abord bègue. Et strictement incapable de s'exprimer en public ou simplement de donner des ordres. Pour un souverain, c'est un problème. D'autant qu'il n'avait pas d'orthophoniste amical pour le tirer de là. Louis II n'est pas George VI : le « discours d'un roi », il fallait qu'il se le prononce lui-même et il n'y arrivait pas.

Louis passe la première partie de son existence à obéir à papa, le roi Charles II – plus connu sous le nom de Charles le Chauve –, qui lui arrange des fiançailles avec la fille du roi de Bretagne et puis, parce que cela ne l'arrange plus, un mariage avec Ansgarde de Bourgogne. Louis II aura cinq  enfants avec elle, dont les trois futurs rois Louis III, Carloman II et Charles III. Mais papa change encore d'avis et lui fait répudier Ansgarde pour qu'il épouse Adélaïde de Paris.

Et quand il devient enfin autonome, à la mort de son père en 877, Louis II fait la preuve de son incapacité à rassembler autour de lui la noblesse qui lui préfère un temps l'impératrice Richilde, la seconde épouse de papa, avant de se ranger mollement sous ses ordres. Il est sacré une première fois, et puis une deuxième... Quand ça veut pas, ça veut pas...

Son royaume se délite, il accepte la sécession de son cousin Louis de Saxe qui embarque au passage une partie de la Lotharingie. Il meurt en 879, à peine deux ans après son accession au trône, et l'un des règnes les plus courts et déprimants de l'histoire de la royauté française.

A-t-il des circonstances atténuantes ?

Ma foi, oui, évidemment. Mais il aurait dû changer de métier.

ÉTIENNE II DE BLOIS
Le Croisé déserteur
1098

L es croisades, cette épopée flamboyante du combat de la civilisation contre la barbarie, n'ont jamais été cette belle aventure. Et les croisés ne furent pas tous des saints. Étienne II de Blois fut l'un des pires…

Il est nul !

Étienne II a fait un beau mariage en épousant Adèle d'Angleterre, la propre fille de Guillaume le Conquérant. Cela donne quelques obligations… En 1096, il rejoint l'armée de Robert II de Flandre et participe à la première croisade. Très vite, l'aventure exaltante tourne en débâcle, ou tout du moins en série de pénibles mésaventures.

En 1097, les croisés arrivent sous les remparts de la ville d'Antioche, qui constitue un verrou quasi infranchissable pour investir la Terre sainte par le nord. Et très vite la situation s'enlise. Le siège d'Antioche reste l'un des événements les plus pathétiques de l'histoire de cette première croisade. L'hiver en Orient est aussi rude qu'en Europe du Nord, les croisés souffrent du froid et de l'absence de ravitaillement. Un chroniqueur – fort peu crédible, il est vrai – raconta même que pour se nourrir certains soldats « firent cuire des païens ».

Toujours est-il qu'Étienne de Blois trouve la situation tout à fait ennuyeuse et, plutôt que de mourir de faim ou de froid, décide de déserter et de rentrer au pays.

Il compte bien sur la défaite totale des croisés pour faire oublier son geste. Malheureusement pour lui, le siège d'Antioche s'achève au bénéfice des croisés qui réussissent dans la foulée à reprendre Jérusalem aux infidèles en 1099.

Étienne II apparaît comme un lâche et un traître. Sa femme – la fille de Guillaume le Conquérant, rappelons-le – l'accueille fraîchement et lui ordonne de repartir au combat pour laver son honneur.

A-t-il des circonstances atténuantes ?

Oh oui, le pauvre !

Car il a voulu se racheter. Au printemps 1101, il rejoint une seconde vague de croisés qui s'embarque vers la Terre sainte.

Ses troupes se trouvent engagées le 19 mai 1102 dans la « seconde bataille de Rama », une petite ville située près du port de Jaffa. Une armée égyptienne de 20 000 hommes réussit à surprendre les troupes du roi croisé Baudouin Ier de Jérusalem. Les 500 cavaliers occidentaux sont pour la plupart tués ou capturés.

Étienne II fait partie du lot. Il est capturé et décapité…

Saint Dominique
Faire valoir d'un massacre
1209

« Dominique-nique-nique s'en allait tout simplement/Routier, pauvre et chantant/En tous chemins, en tous lieux, il ne parl' que du bon Dieu/ Il ne parl' que du bon Dieu... »

C'est une chanson charmante. Le problème, c'est la suite : *« À l'époque où Jean Sans-Terre d'Angleterre était le roi/Dominique, notre père, combattit les albigeois... »*

C'est un peu court ; la vérité est plus terrifiante. Dominique fut la caution religieuse d'une terrifiante croisade contre les régions du sud de la France durant laquelle furent commis des massacres épouvantables par les chevaliers du Nord, qui n'hésitèrent pas à faire disparaître toute trace d'une culture bien supérieure à la leur.

Il est nul !

Dominique, originaire d'Espagne, découvrit l'hérésie cathare en visitant le sud de la France. Cette Église locale prêchait toutes sortes de balivernes que l'Église officielle ne pouvait pas supporter : que Jésus ne faisait pas partie de la Trinité, mais n'était tout au plus qu'un envoyé de Dieu, que le principe du mal et celui du bien s'opposaient en nous, que le Dieu de l'Ancien Testament était l'envoyé du mal... Surtout les cathares démontraient par leur attitude modeste – protestante avant l'heure – à quel point l'Église officielle se perdait dans le luxe, les dorures et l'apparat, trahissant de fait le message de Jésus...

Dominique répond à cette hérésie en prêchant, en créant des monastères qui impliquent des règles ascétiques, et même en débattant avec les cathares, en particulier durant le colloque de Pamiers…

Seulement, en 1209, à la suite de l'assassinat du légat du pape, les guerriers du Nord déferlent sur le Sud et détruisent tout sur leur passage, massacrant indifféremment les véritables hérétiques et les chrétiens. Le chef des croisés, Simon de Montfort, détruit Béziers et profère la pire horreur de l'histoire de la citation historique : *« Tuez-les tous, Dieu reconnaîtra les Siens. »*

A-t-il des circonstances atténuantes ?

Saint Dominique est considéré comme l'ancêtre de l'Inquisition, le premier religieux qui ait encouragé la torture et la peine capitale dans le cadre de la lutte contre l'hérésie. Bernard Gui, un dominicain, l'écrivit, affirmant même que Dominique était « le premier des inquisiteurs ». L'imagerie populaire le présente également en train d'assister à la mort de « coupables » sur le bûcher. C'est peut-être aller un peu loin. Dominique ne pouvait pas être considéré comme un « inquisiteur » alors que l'institution n'existait pas encore. Il n'en reste pas moins que ses prêches aux hérétiques et sa seule présence ont conforté les soudards du Nord dans leur combat.

Les morts albigeois se comptent par milliers. Le sacrifice des derniers cathares, brûlés vifs au pied de la citadelle de Montségur, suffirait à ruiner la réputation d'un saint.

Saint Louis
Collectionneur d'objets à l'origine douteuse
1235

L ouis IX est un saint mais aussi un grand naïf.
Pour preuve, l'incroyable collection de babioles qu'il a rassemblées durant son règne en croyant dur comme fer qu'il s'agissait de précieuses reliques.

Il est nul !

En 1235, il achète la « couronne d'épines du Christ » à des banquiers vénitiens pour la somme rondelette de 135 000 livres. Elle leur avait été donnée en gage par l'empereur Baudouin II de Courtenay. L'objet se présentait – et se présente toujours – sous la forme d'une couronne de végétaux tressés sur laquelle vient se ficher des épines de buisson méditerranéen. L'empereur Baudouin étant définitivement à court d'argent, Saint Louis put sans problème particulier le décider à lui vendre d'autres reliques de la passion du Christ : un fragment de la Vraie Croix, le sang, la Sainte Toile ou portrait miraculeux du Christ, un fragment du linceul, la lance, l'éponge, la chaîne ou lien de fer… En tout, 22 reliques, dont un clou… L'Église parisienne possédait déjà un clou de la Passion, mais avait bien failli le perdre en février 1233, le « clou de la Passion » offert par le roi Charles le Chauve à l'Abbaye de Saint-Denis ayant été égaré pendant quelques jours et miraculeusement retrouvé.

Soyons charitable en nous contentant de craindre que tous ces objets ne soient pas d'authentiques reliques…

A-t-il des circonstances atténuantes ?

Tout le monde en faisait autant à l'époque.

Des historiens un peu tatillons ont dénombré les reliques dispersées dans le monde chrétien et remarqué que certains saints devaient avoir plusieurs bras, un grand nombre de jambes et deux ou trois têtes.

Mais, surtout, cet engouement un peu excessif aura eu une conséquence majeure : la construction de la Sainte-Chapelle, chef-d'œuvre de l'art gothique. Cela excuse bien des choses.

PHILIPPE ET GAUTHIER D'AULNAY

Amants pathétiques de princesses désinvoltes

1314

Les deux frères d'Aulnay sont les pathétiques héros de cette tragédie que les historiens et les feuilletonistes appelèrent « l'affaire de la tour de Nesle ».

Tous les amateurs des romans et des téléfilms *Les Rois maudits* connaissent l'aventure. Trois princesses, Marguerite, Jeanne et Blanche de Bourgogne, mènent la belle vie avec leurs amants – croit-on – dans une tour dominant la Seine. Lorsque le pot aux roses est découvert, le roi Philippe le Bel se met dans une grande fureur et condamne les deux godelureaux à une mort atroce.

Ils sont nuls !

Quand on a la chance de séduire de jeunes princesses, on essaie d'être discret. Ce n'était pas le genre des deux frères d'Aulnay. Ils étaient donc très liés avec les trois princesses, mais rien – malheureusement rien– n'indique précisément qu'elles eurent des amants.

Elles se contentèrent sans doute d'organiser des petites fêtes entre jeunes gens, loin de l'ennuyeuse cour du Louvre. Peut-être y eut-il quelques galanteries. Elles eurent peut-être une inclination pour les deux frères… Toujours est-il qu'elles leur firent cadeau de belles aumônières, des bourses brodées portées à la ceinture.

Malheureusement, la fille de Philippe le Bel, la reine Isabelle, épouse du roi d'Angleterre, vient en visite à Paris et repère ces deux objets précieux dont elle avait fait cadeau quelques mois plus tôt à ses belles-sœurs Blanche et Marguerite. Elle dénonce les deux frères d'Aulnay à son père, qui les fait aussitôt arrêter et torturer. Ils avouent être les amants des deux princesses.

Ont-ils des circonstances atténuantes ?

Les supplices épouvantables qu'on leur infligea lors de leur mise à mort le 19 avril 1314 leur valent toutes nos excuses. Philippe et Gauthier d'Aulnay furent émasculés, puis torturés, traînés sur le sol par des chevaux en furie, avant que le bourreau abrège leurs souffrances en les décapitant. Leurs corps furent exposés sur un gibet. C'est très cher payé pour un flirt…

La colère de Philippe le Bel s'étendit à tous les proches et les serviteurs des princesses. Beaucoup d'entre eux le payèrent de leur vie. Les princesses sont jetées en prison, où Marguerite meurt de froid – ou assassinée – en 1315.

PHILIPPE V
L'inventeur du machisme d'Etat
1316

La France n'aura jamais de reine. Philippe V en a décidé ainsi. Tout au plus les épouses de nos rois et quelques régentes.

Ce machisme inscrit dans la loi, nous le devons à Philippe V qui intrigua pour que soit éloignée du trône une jeune fille bien plus légitime à régner que lui.

Il est nul !

Louis X le Hutin – un pas marrant –, fils de Philippe le Bel – un encore moins marrant –, meurt sans héritier mâle. Il n'a qu'une fille en bas âge, la petite Jeanne II de Navarre, fille de Marguerite de Bourgogne, l'une des héroïnes malheureuses de l'affaire de la tour de Nesle. Marguerite a été répudiée, Louis X s'est remarié avec Clémence de Hongrie qui est enceinte de cinq mois au moment du décès du roi. Elle va donner naissance à un garçon, Jean Ier, mais il meurt cinq jours plus tard.

Le trône reviendrait donc naturellement à la petite Jeanne II de Navarre. Mais Philippe, comte de Poitiers, frère du roi défunt, ne l'entend pas de cette oreille. Il avait déjà réussi à se faire désigner comme régent du fils de Clémence de Hongrie.

La mort prématurée de Jean Ier devant l'exclure du trône, il complote alors avec la noblesse pour se faire sacrer roi de France à Reims en 1317. Il a ressorti pour l'occasion le vieux texte de la loi salique, contre l'avis des grands barons du royaume et surtout contre la famille de Bourgogne qui défend les intérêts de la petite Jeanne II de Navarre.

A-t-il des circonstances atténuantes ?

Il a évidemment donné un bien mauvais exemple. À la différence des royaumes des îles Britanniques qui connurent à leur tête bien des reines autoritaires et talentueuses, de la Suède ou de la Russie, la France n'eut donc pas de souveraine. Et toutes les femmes de ce pays en souffrirent indirectement. L'exemple venant d'en haut, les femmes furent systématiquement exclues du pouvoir. Donc, non, pas d'excuses.

Et puis il y a l'ironie du sort. Cet homme qui voulut spolier une fille de son trône n'eut lui-même que des filles – et un garçon mort en bas âge – qui par leurs mariages contribuèrent au dépeçage du royaume, et c'est son propre frère Charles IV qui lui succéda en 1322. Cette série de disparitions rapides de rois de France est bien connue dans l'univers feuilletonesque sous le nom des *Rois maudits*.

BÉHUCHET
Une cinglante défaite navale
JUIN 1340

La France a connu quelques resplendissantes défaites au cours de batailles navales – généralement remportées par l'Angleterre – qui ont vu notre flotte quasi réduite à néant.

Il faut un début à tout. La bataille de l'Écluse le 24 juin 1340 est un modèle du genre, et le responsable de la catastrophe, l'amiral Nicolas Béhuchet, est particulièrement exemplaire, un monument d'incompétence.

Il est nul !

L'affaire se déroule durant les premières années de la guerre de Cent Ans. Le roi Édouard III d'Angleterre, également duc de Guyenne, est maître de tout le sud-ouest de la France.

Pourtant, ce n'est pas sur le territoire de l'Hexagone que se déroulent les combats, mais aux Pays-Bas.

Les rois d'Angleterre et de France combattent par alliés interposés. Le roi d'Angleterre attaque les vassaux flamands du roi de France, ce qui énerve beaucoup ce dernier.

Au printemps 1340, Édouard II réunit une flotte de combat pour investir le port de Sluys aux Pays-Bas – l'Écluse en français –, à quelques kilomètres de Bruges sur la côte de la mer du Nord. Le roi d'Angleterre a l'intention de faire débarquer ses troupes pour combattre les Flamands fidèles à la France.

La France réagit en réunissant elle aussi une impressionnante flotte de navires de guerre à laquelle vient s'adjoindre une flottille de navires génois. L'escadre, composée de 200 nefs et de 20 000 hommes, se regroupe à Harfleur et longe la côte du nord de la France jusqu'à l'Écluse, où elle arrive avant la flotte anglaise.

Jusque-là, tout va bien. Mais c'était sans compter sur le génie militaire burlesque du chevalier mis à la tête des troupes françaises. L'amiral Nicolas Béhuchet n'est pas véritablement un marin aguerri. Il réagit en homme habitué des sièges et des combats terrestres. Pour prévenir les attaques anglaises, il constitue une muraille flottante en alignant bord à bord ses navires et en les enchaînant solidement les uns aux autres malgré les mises en garde des marins génois.

Lorsque les navires anglais attaquent, le combat commence par des tirs de traits d'arbalètes qui font des ravages sur les équipages de la flotte britannique. Mais dès que celle-ci arrive au contact avec la flotte française, grâce à la riposte des archers anglais, c'est un carnage.

Les navires français, enchaînés, ne peuvent ni se mouvoir pour avancer et attaquer, ni battre en retraite. Les troupes françaises sont battues à plate couture ; seuls une vingtaine de navires réussissent à s'extraire du piège dans lequel son amiral les avait enfermés.

Les marins sont massacrés par les archers anglais, et les troupes flamandes alliées de l'Angleterre se chargent de liquider les hommes tentant de rejoindre la terre ferme à la nage. On dénombrera 15 000 morts français !

Libéré de l'obstacle que constituait la flotte française, le roi d'Angleterre porta le combat sur le sol national… La bataille de l'Écluse, moins célèbre que Trafalgar ou Waterloo, est l'une des plus grandes défaites françaises, et l'une des pires que l'on doive à l'incompétence d'un seul homme.

A-t-il des circonstances atténuantes ?

Une seule : il n'était pas tout à fait le seul responsable de la catastrophe.

Un autre amiral, Hugues Quiéret, l'encouragea dans l'erreur, mais bizarrement on ne retient d'ordinaire que le nom de Béhuchet lorsqu'il s'agit de désigner le coupable de la catastrophe de l'Écluse.

Et puis Béhuchet et Quiéret furent eux aussi exécutés le soir même par les Anglais. Cela force le respect.

L'ÉVÊQUE CAUCHON
Il a brûlé Jeanne d'Arc !
1431

L'évêque Pierre Cauchon est une belle figure de salaud. Il a brûlé Jeanne d'Arc, après de surcroît s'être mis au service des Anglais.

Il est nul !

Ce n'est pas joli, joli, en effet, d'agir en service commandé pour l'ennemi de sa patrie, même si cette notion n'a guère de signification en cette année 1431, tandis que le territoire de la France actuelle est encore disputé par les troupes de souverains qui ont chacun de solides arguments pour prétendre y régner.

Les Anglais confient donc à Cauchon une mission que nous qualifierions aujourd'hui de guerre psychologique. Il s'agit de déconsidérer la cause du roi Charles VII en faisant passer son alliée Jeanne d'Arc pour une hérétique.

La croisade de la Pucelle au nom de Dieu serait alors mise au compte d'une intervention diabolique. Et hop ! le tour est joué. L'évêque Cauchon va donc mener une enquête, faire procéder à des interrogatoires et organiser un célèbre procès qui débute le 21 février 1431 à Rouen. Jeanne ne se démonte pas face à ses juges.

Elle fait constater sa virginité, s'explique sur tout, sauf sur le fait qu'elle porte des habits masculins…, ce qui constitue un grand crime, certes, mais bon. Et puis il y a cette histoire de voix, un peu bizarre quand même…

On connaît la suite. Jeanne est conduite au bûcher le 30 mai.

A-t-il des circonstances atténuantes ?

L'évêque renonça à faire torturer Jeanne dont la santé chancelait… Il essaya également de lui faire abjurer ses crimes en se contentant de la terrifier et de la menacer. Il n'avait pas l'air mauvais, ce pauvre évêque de Beauvais confronté à une histoire trop grande pour lui. Mais il la laissa brûler quand même, et bon nombre d'historiens l'accusent d'avoir organisé un procès uniquement à charge et de s'être permis de manipuler quelques preuves au passage.

Collaborer avec les Anglais n'est jamais bon pour passer à la postérité. L'historien Michelet résuma l'affaire : « *Il se fit anglais, il parla anglais. Winchester sentit tout le parti qu'il pouvait tirer d'un tel homme* […]*, un évêque mendiant qui vivait à sa table* […] *se faisant l'agent des Anglais.* » Un mendiant agent des Anglais… Autant dire un nul !

La Renaissance

On pourrait espérer qu'avec la fin des années sombres, la France allait connaître des siècles de renouveau. La Renaissance fut en effet une période faste… pour la guerre, les massacres, les turpitudes en tous genres. Il y eut largement autant de nuls dans les châteaux de la Loire et chez les Valois que dans les forteresses obscures de leurs prédécesseurs !

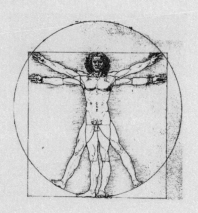

FRANÇOIS IER

Capturé au cours
d'une bataille perdue d'avance
OCTOBRE 1524

François Ier est un grand roi. Il a introduit en France un raffinement et une qualité de vie qui nous étaient encore étrangers… Il n'a que des qualités. Pourtant, il est nul !

Quel roi pourrait être assez stupide pour se jeter dans la gueule du loup en allant combattre les Italiens sur leur propre terrain au cours d'une campagne particulièrement improvisée qui se termina par sa capture et le versement d'une rançon ? Grotesque !

Il est nul !

La France est en danger : les Milanais et les troupes de Charles de Bourbon tentent de l'envahir en attaquant par le sud-est tandis que les troupes de Charles Quint mettent le siège devant Marseille.

Les Marseillais résistent, mais ce pauvre chevalier Bayard est blessé dans le milanais à Rebec d'un coup d'escopette fatal, alors qu'il couvre la retraite des

troupes françaises. Il meurt dans le camp ennemi à Rovasenda…

Pendant ce temps-là, François Ier organise une expédition qui franchit les Alpes et vient tenter de conquérir la ville de Pavie le 28 octobre 1524.

Il se jette à corps perdu dans une bataille incertaine. Ainsi, l'artillerie royale a été placée en dépit du bon sens, puisqu'elle doit rapidement cesser de tirer quand ses boulets viennent tomber au milieu des troupes françaises. Les armées impériales écrasent les troupes françaises. Les généraux La Trémoille, Bonnivet et surtout La Palice meurent dans la bataille. François Ier est capturé…

Il sera emprisonné pendant deux ans jusqu'à la signature d'un traité qui a pour conséquence la perte du duché de Bourgogne, la fin de l'hégémonie de la France sur les Flandres ou l'Artois, et quelques autres vilenies du même ordre.

Pire encore, Charles Quint fit emprisonner les deux fils aînés de François Ier, histoire de s'assurer qu'il allait bien mettre en application les conditions de sa capitulation.

A-t-il des circonstances atténuantes ?

Les thuriféraires du roi affirmèrent qu'il avait « été mal conseillé ». C'est ce qu'on dit dans ce genre de circonstances.

JEAN D'OPPÈDE
Le massacreur d'hérétiques
AVRIL 1545

Jean Maynier, baron d'Oppède, fait partie de ces méchants personnages détestés par les habitants de régions précises pour qui ils symbolisent l'oppression. En Lubéron, on ne lui pardonnera jamais ses crimes.

Le pape Clément VII avait suggéré au roi François Ier de faire cesser le scandale que représentait à ses yeux la présence des hérétiques dans le sud de la France. Un arrêt du parlement de novembre 1540 ordonnait la destruction des biens des vaudois, un mouvement religieux considéré comme hérétique. La cruauté et la violence de l'exécuteur de cette décision restent en effet à jamais impardonnables…

Il est nul !

Le baron d'Oppède est donc chargé de détruire le village de Mérindol, siège de l'hérésie vaudoise.

Les fidèles de Pierre Valdo, dont la doctrine évangélique est l'une des sources du protestantisme, connurent un bel essor dans tout le sud de la France, mais aussi en Suisse ou en Italie, où ils furent victimes de massacres épouvantables.

Durant le printemps 1545, les troupes du roi de France, commandées par le baron d'Oppède, se ruent sur les villages du Lubéron qui sont incendiés et pillés. Les hommes sont soit massacrés, soit kidnappés et conduits aux galères tandis que les femmes sont systématiquement violées, puis assassinées.

On compta 3000 victimes en trois jours. Les villages de Cabrières, Mérindol, Lourmarin, qui font aujourd'hui la joie des vacanciers, sont rayés de la carte.

A-t-il des circonstances atténuantes ?

Non.
Mais heureusement, François Ier apporta un peu de justice en ce monde de brutes. Il prescrivit une enquête sur les massacres qui aboutit à l'arrestation de Jean d'Oppède.
La justice le laissa en paix, mais il connut lui aussi quelque temps l'angoisse des procès et de la prison.

JEAN FERRON
Le cocu suicidaire
1547

L e roi François Ier avait pour maîtresse la femme de l'avocat Ferron. Le cocu se vengea du roi en contractant une maladie mortelle pour le seul plaisir de la lui transmettre par l'entremise de sa femme.

La beauté de madame Ferron lui valait le surnom de Belle Ferronnière – elle passait pour avoir les plus belles jambes de la cour et lança la mode du bijou porté sur le front, retenu dans la coiffure par un mince lacet. Un portrait d'elle par Léonard de Vinci est en effet assez flatteur.

66

Il est nul !

Jean Ferron vit d'abord la liaison de son épouse avec François Ier avec philosophie, laissant même le champ libre aux amants en s'exilant à la campagne. Pourtant, sa vengeance fut terrible. La légende galante voudrait qu'il se soit rendu dans un bordel de la rue Pélican pour contracter volontairement la vérole, la transmettre à sa femme et contaminer le roi, qui, effectivement, mourut peu après.

A-t-il des circonstances atténuantes ?

Cocu, c'est une circonstance atténuante.

Mais sa principale circonstance atténuante est tout simplement son innocence. Il apparaît que la cause du décès du souverain fut une « fistule tuberculeuse ».

Et puis il n'est même pas sûr que la Belle Ferronnière fût la femme de Jean Ferron. Elle était peut-être sa fille. On n'est pas certain non plus de l'identité du modèle du tableau de Léonard. Bref, on ne sait rien ou presque.

CHARLES IX
Le responsable de la Saint-Barthélemy
AOÛT 1572

L e roi Charles IX, fils d'Henri II et de Catherine de Médicis, n'aurait pas dû régner, mais son frère François II est mort sans descendance... Charles, qui monte sur le trône à l'âge de dix ans, aurait sans doute préféré rester dans l'ombre, car son règne fut marqué par un événement dont il est partiellement responsable et qui suffirait à vous faire condamner par la postérité.

Il est nul !

C'est un qualificatif un peu faible.

On connaît le déroulement de cette tragédie nationale. Marguerite, la reine Margot, épouse en grande pompe Henri de Navarre, le futur Henri IV, en présence de la noblesse catholique et de la noblesse protestante qui semblent alors vivre un grand moment de réconciliation après des années de guerres de Religion. Pourtant, quelques jours plus tard, à la suite d'un attentat contre Gaspard de Coligny, un grand chef protestant, le roi ou sa mère décident de prendre les devants et de massacrer tous les protestants présents à Paris avant qu'ils ne se soulèvent pour se rebeller contre l'attentat. Il y aura des milliers de morts, à Paris et dans quelques grandes villes de province. Cette journée du 24 août 1572 est l'une des plus tragiques de l'histoire de France.

A-t-il des circonstances atténuantes ?

Le doute peut-être.

Car on ne sait pas vraiment qui de la famille royale a commandé le carnage. Mais il serait difficile de trouver des circonstances atténuantes à un homme dont on affirme qu'il participa lui-même directement à la tuerie en tirant des coups de mousquet depuis les fenêtres du Louvre.

En revanche, il est probable que des tribunaux contemporains lui trouveraient de réelles excuses, Charles IX présentant quelques symptômes de déficiences mentales ou physiques. Mais de là à massacrer des milliers de protestants...

Charles IX meurt à 24 ans.

JACQUES CLÉMENT
L'assassin un peu trop catholique
AOÛT 1589

L e régicide est un art ! Jacques Clément, en tuant le roi Henri III, n'en est pas le plus grand spécialiste. Car, en assassinant un roi catholique qu'il soupçonnait de complaisance à l'égard des protestants, il ne réussit qu'à accélérer l'accession au trône du Gascon Henri IV, bel et bien protestant lui-même.

Il est nul !

Et puis il y a la manière.

Le 1ᵉʳ août 1589, Jacques Clément, un moine dominicain alors âgé de 22 ans, quitte Paris pour rejoindre la cour installée à Saint-Cloud.

Clément était un représentant d'un mouvement de pensée très hostile aux dernières décisions du roi. En 1576, Henri III avait signé l'édit de Beaulieu qui assurait aux réformés la liberté de culte et une représentation dans les parlements provinciaux. Plus de 25 ans après la Saint-Barthélemy, cette nouvelle politique réveille les humeurs guerrières des catholiques hostiles à toutes formes de compromission avec les protestants.

Jacques Clément arrive donc à la cour d'Henri III en compagnie de Jacques de Guesle, procureur général du Parlement de Paris. Il prétend avoir des documents en provenance du palais du Louvre à présenter au roi.

Il s'approche du souverain, se penche vers lui en faisant semblant de chercher les papiers en question dans une poche de sa robe, sort alors un couteau et frappe violemment le roi au ventre.

— Ah ! méchant, tu m'as tué ! crie le roi.

Les détracteurs d'Henri III et de ses amitiés masculines affirmèrent qu'il aurait dit plutôt « Ah ! la vilaine », mais bon. Les hommes d'armes qui assistent à la scène – dont les « 45 », la garde rapprochée du roi – se précipitent et tuent le régicide. Son corps est jeté par la fenêtre. Par la suite, sa dépouille sera écartelée et brûlée.

Henri III meurt dans la nuit suivant l'attentat.

A-t-il des circonstances atténuantes ?

Aux yeux de l'Église de l'époque, oui, certainement puisque le pape Sixte V proposa même de le canoniser après avoir décrété qu'il avait agi en martyr de la religion catholique.

Et puis cet assassinat eut pour conséquence l'accession au trône du roi le plus populaire de notre histoire, le bon Henri IV. Car, avant de mourir, Henri III eut le temps de déclarer, en désignant Henri de Navarre, présent à son chevet : « *Je vous en prie comme mes amis et vous ordonne comme roi que vous reconnaissiez après ma mort mon frère que voilà, que vous ayez la même affection et fidélité pour lui que vous avez toujours eue pour moi et que pour ma satisfaction et votre propre devoir, vous lui prêtiez serment en ma présence.* »

JEAN CHÂTEL
Le régicide maladroit
1594

Les régicides se suivent, mais ne se ressemblent pas. Jean Châtel est un régicide de la plus ridicule espèce, de ceux qui manquent leur coup. À la différence de son prédécesseur, Jacques Clément, et de son imitateur, Ravaillac, Châtel est un grand maladroit. Et son geste inutile eut pour conséquence la disgrâce de la confrérie des jésuites qui inspira sans doute son geste.

Il est nul !

Le 27 décembre 1594, le dénommé Châtel, ancien élève du collège de Clermont, s'introduit donc chez Gabrielle d'Estrées, la maîtresse du roi, dont le petit hôtel de la rue Saint-Honoré est ouvert à tous les vents. Henri IV rentre d'un voyage en Picardie. Il est de bonne humeur. S'approche alors un groupe de courtisans au sein duquel s'est glissé Châtel. Quand le roi est à sa portée, il tente de lui planter son poignard dans le cou, mais Henri IV s'est baissé à cet instant pour embrasser son ami de Montigny. Le poignard le blesse à la lèvre et lui casse une dent – c'est d'ailleurs à ces blessures que l'on reconnut quelques siècles plus tard le crâne du roi. Aussitôt, la foule s'empare de l'assassin.

Le roi s'en réchappe et semblerait presque disposé à ce qu'on libère sur-le-champ son assaillant.

Jean Châtel est interrogé et jugé par le parlement. Dans ses papiers, on a découvert des documents accablants. Un texte du jésuite Jean Quignard déclenche en particulier la colère des juges. Il appelle de ses vœux « une nouvelle Saint-Barthélemy ». L'occasion est trop bonne pour s'occuper enfin du sort des jésuites, dont la prétention à vouloir tout régenter commençait à agacer un peu tout le monde. La justice est donc implacable. Jean Châtel est condamné à mort, écartelé selon la tradition des supplices réservés aux régicides. On brûle et rase sa maison à la place de laquelle est construit un monument expiatoire. L'inspirateur du crime Jean Quignard est pendu et, pour faire bonne mesure, les jésuites sont bannis du royaume par un arrêté du parlement. Le 8 janvier 1595, les pères jésuites du collège de Clermont quittent Paris.

A-t-il des circonstances atténuantes ?

Le pauvre, il est mort écartelé. Il est donc plus à plaindre qu'à blâmer. Ce devait aussi être un petit cerveau, exalté par de mauvaises lectures.

Le Grand Siècle

À la mort d'Henri IV, les historiens décident en chœur que les choses changent radicalement dans le beau royaume de France. À la renaissance succède le « Grand Siècle », qui va coïncider avec les règnes de Louis XIII et Louis XIV. Il semble donc impossible que des personnages ayant vécu durant cette période exaltante puissent être qualifiés de « nuls ». Eh bien, si !

MARIE DE MÉDICIS
Une reine vraiment mal entourée
AVRIL 1617

L'histoire est misogyne et un peu raciste. Le traitement dont est victime la mémoire de Marie de Médicis, une femme étrangère appelée à régner sur la France le temps d'une régence inattendue, en est la preuve... À moins qu'elle ne soit nulle, ou plutôt une femme très compliquée.

Elle fut surtout très mal entourée, et c'est ce qu'on lui reproche...

Elle est nulle !

À la mort d'Henri IV, Marie se retrouve à la tête du royaume, assurant la régence pour le compte de son fils le roi Louis XIII alors âgé de neuf ans.

Elle en profite pour modifier peu à peu les alliances du royaume en se rapprochant de l'Espagne, dont la jeune infante épouse le bébé roi.

Marie de Médicis devait sans doute être d'une intelligence exceptionnelle, mais elle avait de mauvaises fréquentations. Un personnage, le maréchal de France Concino Concini, et dans une moindre mesure son épouse Leonora Galigaï, incarnent à jamais le mythe du mauvais ange, du conseiller occulte, de l'intrigant, de l'ennemi du peuple, et – une fois de plus – de l'étranger s'insinuant dans les plus hautes sphères du pouvoir pour ruiner la France de l'intérieur. Ce qui devait être un peu vrai.

Les nobles, avec à leur tête le prince de Condé, se révoltent contre le pouvoir royal et contre ces courtisans qu'ils considèrent comme usurpant des postes et des responsabilités qui devraient leur revenir. Marie de Médicis fait arrêter Condé le rebelle, estimant qu'il avait poussé le bouchon un peu loin… C'est vraisemblablement Concini qui lui en a soufflé l'idée.

Mais tout a une fin ! Le 24 avril 1617, le jeune Louis XIII, excédé par l'inconduite de sa mère, fait exécuter Concini par le baron de Vitry. Saluant les assassins de Concini, Louis XIII leur dit : « *Grand merci à vous, à cette heure, je suis roi !* » Ses biens furent dispersés et, bien plus grave, sa femme Leonora fut arrêtée, condamnée pour sorcellerie et exécutée elle aussi. Et pour parachever ce « coup de Majesté » – c'est ainsi qu'on désigne les coups d'État fomentés par les souverains eux-mêmes –, Louis XIII envoie sa propre mère en exil au château de Blois

A-t-elle des circonstances atténuantes ?

Sans doute. La postérité a préféré s'attarder sur la légende noire de la régente en oubliant ses talents de femme d'État.

FRANÇOIS DE MONTMORENCY-BOUTEVILLE

Un duelliste vraiment trop acharné

MAI 1627

L e duel est interdit, il est même puni de mort. Il se trouve pourtant des personnages assez fous, ou assez imbus de leurs privilèges et de leur haut rang, prêts à risquer l'échafaud pour avoir le droit de continuer à se battre au nom de quelques vaines glorioles. C'est le cas de François de Montmorency-Bouteville

Il est nul !

Se battre en duel est presque son principal moyen d'expression. C'est sans doute pour lui une continuation de la guerre, un sport aristocratique dans lequel il excelle en participant aux sièges de Saint-Jean-d'Angély, de Royan ou de Montpellier… Revenu aux ennuis de la vie civile, il se bat ! Et il tue ses adversaires quasi à coup sûr. Le comte de Pontgibaud, le comte de Thorigny,

le marquis des Portes… Tous passés au fil de son épée.

À la suite d'un duel contre le baron de la Frette qu'il blesse grièvement, il doit s'exiler en Belgique pour échapper à la colère du roi furieux de voir les membres les plus éminents de la noblesse se battre comme des chiffonniers. Richelieu, également excédé par ce phénomène, prend le 2 juin 1626 un édit interdisant absolument les duels et condamnant par avance à mort toute personne qui s'y livrerait.

François de Montmorency-Bouteville jure aussitôt de rentrer en France et de se battre en duel sur une place parisienne, en plein jour, pour défier cet édit scélérat.

Le 12 mai 1627, il provoque Guy d'Harcourt, comte de Beuvron, sur la place Royale, notre actuelle place des Vosges. Il est accompagné de François de Rosmadec, baron des Chapelles, du marquis Bussy d'Amboise et de leurs écuyers respectifs qui se battent également, à l'épée et au poignard.

Le marquis Bussy d'Amboise meurt sur-le-champ, d'Harcourt s'enfuit en Angleterre, mais Montmorency-Bouteville et Rosmadec sont arrêtés et jugés. Toute la noblesse s'oppose à leur condamnation à mort. Les deux duellistes sont pourtant décapités en place de Grève le 22 juin 1627. Richelieu voulait faire un exemple ; voilà qui est accompli.

A-t-il des circonstances atténuantes ?

Non. Quel imbécile !

Urbain Grandier
Séducteur, sorcier et mythomane
AOÛT 1634

Urbain Grandier, dans l'imaginaire populaire et le cinéma fantastique, symbolise encore aujourd'hui le sorcier corrupteur et l'envoyé du diable.

Il fut le responsable d'une intolérable série d'actes diaboliques qui mirent en émoi un couvent, une ville et toute une région.

Et pourtant, Urbain Grandier n'était tout au plus qu'un aimable obsédé sexuel. Et prêtre... C'est ça le problème.

Il est nul !

Car il a perdu la vie en laissant croire ce qui n'était évidemment pas...

Il avait été nommé curé de l'église Saint-Pierre du Marché et chanoine de l'église Sainte-Croix de Loudun après son noviciat. Fils d'un notaire de Sablé-sur-Sarthe, le jeune homme, à l'aube de la trentaine, plaisait aux femmes et ne considérait pas son état ecclésiastique comme un obstacle.

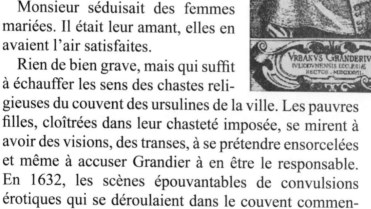

Monsieur séduisait des femmes mariées. Il était leur amant, elles en avaient l'air satisfaites.

Rien de bien grave, mais qui suffit à échauffer les sens des chastes religieuses du couvent des ursulines de la ville. Les pauvres filles, cloîtrées dans leur chasteté imposée, se mirent à avoir des visions, des transes, à se prétendre ensorcelées et même à accuser Grandier à en être le responsable. En 1632, les scènes épouvantables de convulsions érotiques qui se déroulaient dans le couvent commencèrent à attirer l'attention.

Urbain fut soupçonné d'actes diaboliques. On l'arrêta, on le tortura. Il n'avoua jamais rien, malgré les pires horreurs qu'on lui fit subir, et fut condamné à mort.

A-t-il des circonstances atténuantes ?

Urbain Grandier s'est trompé d'époque. Au XVIIIe siècle ou de nos jours, il n'aurait été considéré que comme un aimable libertin, abusant sans doute de sa position pour séduire quelques jeunes femmes évidemment consentantes. Car, à y regarder de près, celui qui finit sur le bûcher en place de Loudun ce 18 août 1634 n'avait pas grand-chose à se reprocher.

Son principal crime fut sans doute de ne pas remarquer les regards énamourés que lui jetait sœur Jeanne des Anges, la supérieure du couvent. Dépitée, elle devint sa pire ennemie, encourageant les bonnes sœurs de son couvent dans leur délire hystérique collectif.

Par ailleurs, Grandier ne se contentait pas de se comporter en vil séducteur. Il avait aussi des opinions politiques et commis quelques libelles contre le cardinal Richelieu en personne.

Autant dire qu'il n'avait rien fait pour éviter les emmerdements.

NICOLAS FOUQUET
Victime de sa vanité
1661

Comment tout perdre en quelques jours ? L'argent, le pouvoir, et même sa belle maison toute neuve dont on n'a pas fini les travaux…

Nicolas Fouquet, vicomte de Melun, marquis de Belle-Isle, procureur de Paris et surintendant des Finances, l'a fait ! Il incarne dans notre imagerie nationale l'homme qui, à vouloir trop montrer ses richesses, se retrouva au trou.

Il est nul !

Profitant de son rôle au sommet de l'administration des Finances durant la minorité du roi Louis XIV, Nicolas Fouquet est devenu fabuleusement riche en quelques années. Ce n'est pas bien.

L'histoire est connue : le 17 août 1661, en présence du jeune roi Louis XIV, Fouquet donne une fête somptueuse dans son château de Vaux-le-Vicomte. Le bâtiment en lui-même est déjà une insulte faite au roi qui n'a pas encore construit son propre château à Versailles. *La Gazette* décrit les réjouissances : « *La bonne chère ayant été accompagnée du divertissement d'un fort agréable ballet, de la comédie et d'une infinité de feux d'artifice dans les jardins de cette belle et charmante maison, de manière que ce superbe régal se trouvât assorti de tout ce qui peut se souhaiter dans les plus délicieux...* » Molière et Lulli pour le spectacle, les mets les plus fins au buffet, Vatel aux cuisines, des « elfes »

peu vêtus en guise de serviteurs durant les intermèdes… Fouquet n'avait pas lésiné ce soir-là.

Le roi, furieux et humilié, fit arrêter le superintendant quelques jours plus tard. Pour lui, c'est fini : il est embastillé par d'Artagnan en personne. Fouquet est accusé d'avoir confondu les revenus dus au roi et ses propres finances. L'accusation s'appuie sur l'augmentation vertigineuse de sa fortune pour démontrer qu'il avait largement puisé dans la caisse. Le tribunal, lui évitant la mort de justesse, le condamne au bannissement à vie après lui avoir confisqué ses biens.

Emprisonné à la forteresse de Pignerol, il meurt en 1680 d'une crise d'apoplexie… à moins qu'il ne soit mort empoisonné à Chalon-sur-Saône. Les circonstances de son décès restent mystérieuses.

A-t-il des circonstances atténuantes ?

Il semblerait que la fête donnée à Vaux-le-Vicomte n'ait compté pour rien dans la décision de mettre Fouquet en prison. Les charges qui pesaient contre lui étaient déjà suffisamment lourdes. La chute du superintendant est principalement causée par les accusations circonstanciées portées contre lui par Colbert.

Celui-ci, vertueux mais rancunier, aurait bien aimé être le seul membre influent de la cour du jeune roi. Il s'appuie sur des rapports – effectivement accablants – décrivant les malversations diverses de Fouquet pour pousser à sa déchéance.

Il utilise en particulier les renseignements rassemblés par son propre cousin, Colbert de Terron, qui mettent en lumière la manière fort peu fiscalement correcte dont Fouquet gérait le financement des fortifications de Belle-Isle. En clair, il s'en mettait plein les chausses au passage.

La fête de Vaux a tout au plus été la goutte qui fit déborder le vase de la colère royale.

MONSIEUR DE MONTESPAN

Le cocu récalcitrant

1669

Monsieur de Montespan symbolise le cocu indocile. Cet homme avait pourtant tout pour être heureux puisque, dans son immense bienveillance, le roi Louis XIV avait choisi sa femme, la marquise de Montespan, née Françoise Athénaïs de Rochechouart de Mortemart, pour en faire sa maîtresse.

Tous les nobles du royaume auraient été honorés de voir leurs épouses batifoler dans la couche royale. Monsieur de Montespan, non ! Il fit tant et tant de scandale qu'on dut l'exiler, ce cocu !

Il est nul !

Louis Henri de Pardaillan de Gondrin, marquis de Montespan, hobereau gascon désargenté, ne pouvait pourtant pas envisager une plus grande gloire. Sa famille commençait sérieusement à douter de ses capacités pour lui rendre son lustre. Il fut incapable de faire fortune en faisant la guerre – une activité pourtant à la portée de tous ses amis nobles sans le sou – et, non content d'être pauvre, il était de surcroît joueur et endetté.

Son mariage avec Athénaïs semblait déjà inespéré : elle aurait dû épouser un dénommé Noirmoutier, mais, après avoir tué le frère du marquis de Montespan en duel, le futur mari s'enfuit au Portugal juste avant les noces. Pour d'obscures raisons, Athénaïs décida de se marier avec le frère de la victime de son ex-fiancé.

C'est alors que Louis XIV la remarque. La marquise est dame d'honneur de la reine et sévèrement bien roulée.

De plus, comme le souligne la marquise de Sévigné : *« À la plus surprenante beauté, elle joignait l'esprit le plus vif, le plus fin, le mieux cultivé... »* Louis abandonne sa maîtresse Louise de La Vallière et s'entiche de la Montespan... qui, bonne fille, prévient son mari de l'imminence de son cocufiage.

Aussitôt, le marquis entre dans une rage folle, gifle sa femme et lui fait des scènes épouvantables dans toutes les pièces du château. Il fait même poser des cornes de cerf sur le toit de son carrosse et s'octroie le titre de « plus grand cocu du royaume ».

Le roi s'en émeut, d'autant que le marquis est en grand costume de deuil.

— Pourquoi tout ce noir, monsieur ?

— Sire, je porte le deuil de ma femme !

— Le deuil de votre femme ? interrogea Louis XIV.

— Oui, Sire. Pour moi, elle est morte et je ne la reverrai plus...

Après une révérence, il regagne son attelage de deuil.

Cette fois, c'en est trop ! Louis XIV fait arrêter l'emmerdeur et l'exile en Guyenne.

Et par la suite, rien n'y fit. Montespan résista à toutes les pressions, aux cadeaux, aux tentatives d'intimidation… Jusqu'à sa mort qu'il avait anti-

cipée en rédigeant un testament loufoque et cruel : « *N'ayant pas à me louer d'une épouse qui, se divertissant autant que possible, m'a fait passer ma jeunesse et ma vie dans le célibat, je me borne à lui léguer mon grand portrait peint par Bourdon, la priant de le placer dans la chambre lorsque le roi n'y rentrera plus.* » Il lègue également son nom et ses titres aux enfants que la marquise eut avec le roi et, pour finir : « *Je lègue et donne au roi mon vaste château de Montespan, le suppliant d'y instituer une communauté des dames repenties à la charge et condition spéciale de mettre mon épouse à la tête de ce dit couvent et de l'y nommer première abbesse.* »

A-t-il des circonstances atténuantes ?

Mais oui ! Car dans ce monde sans honneur des courtisans, prêts à tout pour acquérir une miette de reconnaissance de la part du souverain, il incarne une forme de résistance et de dignité, un peu ridicule, mais particulièrement rafraîchissante.

Et puis la Montespan exagérait : durant sa liaison avec le roi, elle eut tout de même six enfants adultérins…

ANNE-HILARION DE COSTENTIN, COMTE DE TOURVILLE
Défait par les Anglais
1692

La France n'a jamais de chance lorsqu'elle veut envahir l'Angleterre, et d'ailleurs elle n'y arriva jamais plus après la tentative réussie par Guillaume le Conquérant en 1066.

Aussi, régulièrement, de grands marins français s'illustrent en perdant des batailles navales face à la marine anglaise.

La « défaite de la Hougue », brillamment causée par l'incompétence de l'amiral comte de Tourville, est l'une des plus humiliantes, car elle succède immédiatement à une brillante victoire.

Il est nul !

Ce n'est pas la dérouillée la plus célèbre de la catastrophique histoire de nos rencontres avec les flottes anglaises. Sans doute parce qu'il s'agit d'une défaite discrète.

Anne-Hilarion de Costentin, comte de Tourville, se trouvait donc à la tête de la flotte française lors de la guerre de la ligue d'Augsbourg qui opposa durant une dizaine d'années la France et une coalition réunissant la Suède, l'Angleterre, l'Espagne, les Provinces-Unies et les principautés allemandes – la ligue tentant de repousser les visées expansionnistes et interventionnistes de la France de Louis XIV.

Le roi avait pris fait et cause pour Jacques II d'Angleterre qu'il souhaitait voir remonter sur le trône.

Fin mai, début juin 1692, Tourville mène deux batailles victorieuses, d'abord au large de Barfleur, puis face à Cherbourg. Malheureusement, les 2 et 3 juin, il affronte une nouvelle fois la flotte de la ligue d'Augsbourg, face au port de Saint-Vaast-la-Hougue. Tourville regroupe 12 vaisseaux, dont les plus beaux fleurons de la flotte française : le *Saint-Philippe*, le *Magnifique*, l'*Ambitieux*, le *Foudroyant* et le *Merveilleux*, entre Saint-Vaast et l'île de Tatihou. Tourville, contre toute attente, décide cette fois de se battre « à l'ancre », en laissant aux navires anglais l'initiative des combats… et sans rien prévoir comme mouvement de rechange.

Les Anglais, montés sur de simples chaloupes, incendient et détruisent une partie des navires français, abandonnés immédiatement par les marins qui ne comprennent pas qu'on puisse leur ordonner de rester immobiles à l'ancre sous le feu ennemi.

A-t-il des circonstances atténuantes ?

Le comte de Tourville a perdu, certes, mais dans le cadre particulier d'une guerre assez confuse, sans objet bien identifiable. Difficile d'être motivé en pareilles circonstances.

Et puis, avant cela, il avait bel et bien battu les Anglais sur les mers. Rappelons qu'en 1690, à la tête d'une escadre de 20 vaisseaux, il avait vaincu dans les eaux de l'île de Wight. Il y eut également cette bataille de Barfleur, gagnée quelques jours à peine avant le désastre de la Hougue. Il n'était donc pas tout à fait nul. D'ailleurs, Louis XIV ne lui en voulut pas et le nomma quelque temps plus tard maréchal de France.

LE MARÉCHAL FRANÇOIS DE VILLEROI
Battu (lui aussi !) par les Anglais
1706

L e maréchal de Villeroi est un collectionneur de défaites.

Magnifique palmarès : la perte de Namur, la déroute de Chiari, la branlée de Crémone, et, pour finir, la dérouillée de Ramillies. Un palmarès pareil inspire quasiment le respect.

Il est nul !

Voilà sans doute le soldat le plus pathétiquement nul de l'histoire de France.

Sa carrière militaire est une série de défaites cuisantes. Le 27 mars 1693, il avait été élevé au rang de maréchal de France sans avoir avant cela exercé le moindre commandement. Cette incompétence et ce manque cruel d'expérience eurent des conséquences immédiates. En 1695, Villeroi commande les armées du maréchal de Luxembourg et commet un véritable crime de guerre en bombardant et incendiant la ville de Bruxelles, qui n'était pas une ville de garnison, et encore moins un objectif militaire. Des milliers de maisons, mais aussi de trésors artistiques, ont été détruits en deux jours de bombardement et d'incendie. Et sans que cela puisse avoir des conséquences militaires bénéfiques, puisqu'au passage, les troupes françaises se firent reprendre la ville de Namur.

Par la suite, Villeroy s'illustra durant la guerre de la Succession d'Espagne, dont les combats eurent principalement lieu sur le sol italien. Il subit d'abord une défaite humiliante à Chiari en 1701 avant d'être fait prisonnier l'année suivante à Crémone… Nul. *« Son trop de confiance en ses propres lumières fut plus que jamais funeste à la France »*, écrira Voltaire.

Mais sa bataille la plus lamentable eut lieu à Ramillies, au cours d'un nouvel épisode de la guerre de la Succession d'Espagne, face aux armées du duc de Marlborough. Villeroi se lance dans des mouvements de troupes inconsidérés. Voltaire raconte : *« Il eût pu éviter la bataille. Les officiers généraux lui conseillaient ce parti ; mais le désir aveugle de la gloire l'emporta. Il fit, à ce que l'on prétend, la disposition de manière qu'il n'y avait pas un homme d'expérience qui ne prévît le mauvais succès. Des troupes de recrues, ni disciplinées ni complètes, étaient au centre : il laissa les bagages entre les lignes de son armée ; il posta sa gauche derrière un marais, comme s'il eût voulu l'em-*

pêcher d'aller à l'ennemi. » La bataille de Ramillies est l'une des pires déroutes des armées françaises, qui perdent au passage le contrôle des Pays-Bas espagnols et 20 000 de leurs soldats après à peine quatre heures de combats. Beau résultat !

A-t-il des circonstances atténuantes ?

Aux yeux de Louis XIV, sans doute, qui lui passait tout, car ce piètre soldat devait être un aimable courtisan et un bon camarade.

Il faut dire que c'était l'un de ses rares amis d'enfance, ce qui, pour ce grand roi solitaire, devait compter davantage que la gloire militaire.

Mais les Bruxellois et les quelques milliers de victimes de ses balourdises sont en droit de penser qu'il n'a aucune excuse.

GUY FAGON

Médecin charlatan de Louis XIV

SEPTEMBRE 1715

Le médecin de Louis XIV était nul. Les soins qu'il prodiguait au roi n'avaient aucun sens et aucun effet. Il se montra particulièrement lamentable dans le dépistage, l'identification et les soins de la maladie qui emporta le roi en lui faisant subir d'atroces souffrances.

Il est nul !

Fagon avait été élevé par Guy de la Brosse, le médecin de Louis XIII. À son contact, il apprit la médecine – ce que l'on considérait comme telle à l'époque – et devint naturellement le médecin de la dauphine, puis de la reine, avant d'accéder au rang de premier médecin du roi et de diriger une véritable troupe de 18 médecins, d'apothicaires et de chirurgiens.

Malheureusement, ses diagnostics ne furent pas à la hauteur de la tâche qu'on lui avait confiée. Lorsque Louis XIV se plaint en août 1715 d'une douleur à la jambe, Fagon lui diagnostique une bénigne sciatique qu'il fait soigner avec du lait d'ânesse…

C'est en réalité un début de gangrène, dont le roi meurt le 1er septembre suivant après des semaines d'atroces souffrances.

A-t-il des circonstances atténuantes ?

La quasi-totalité des médecins de son temps n'aurait sans doute guère fait mieux. En revanche, Fagon fut un grand botaniste.

Après que le roi lui eut confié la direction du Jardin des Plantes, il envoya de par le monde des explorateurs chargés de rapporter le plus grand nombre de spécimens de plantes exotiques. Parmi eux, Joseph Pitton de Tournefort, qui préleva un grand nombre de variétés de végétaux asiatiques.

Par ailleurs, Fagon avait quelques réelles lumières, voire des intuitions extraordinaires en matière de médecine, puisqu'il soutint la théorie de la circulation du sang et fut l'un des premiers à pressentir la nocivité du tabac.

Mais il valait mieux ne pas l'avoir engagé comme médecin traitant.

Le siècle des Lumières

Voilà c'est fini, plus de nuls. Comment des nuls auraient-ils pu survivre dans ce « siècle des Lumières », où l'on vit la France donner au monde des leçons de démocratie ? Ma foi, fort bien ! On rencontra durant cette période exaltante largement autant d'imbéciles que lors des siècles précédents, autant de militaires aux conceptions stratégiques ineptes, de politiciens prétentieux ou de personnages répugnants.

LE CARDINAL DUBOIS
Libidineux et sans foi
JUIN 1720

Bel exemple d'ecclésiastique ne s'encombrant ni de la foi ni des vertus d'ordinaire associées aux activités d'un cardinal.

« Le pape est un fin cuisinier qui sait faire d'un maquereau un rouget. » Telle est la phrase grâce à laquelle l'abbé Guillaume Dubois est entré dans l'histoire. Ce personnage souvent dépeint de manière malveillante fut ministre d'État durant la régence après la mort de Louis XIV.

On affirma qu'il devait son ascendant sur le régent Philippe d'Orléans à son talent pour lui découvrir de jeunes maîtresses, que c'était donc un proxénète et de toute manière un prêtre dévoyé…

Il est nul !

Le 16 juin 1720, le pape Innocent III fait cardinal un personnage pour le moins douteux.

Le cardinal Dubois ne savait alors toujours pas célébrer la messe et ne mit d'ailleurs jamais les pieds dans son diocèse de Cambrais et rarement dans une église. C'est un fait. D'ailleurs, pour accéder à la prêtrise et devenir directement cardinal, il avait dû faire annuler un ancien mariage et cacher un peu sa maîtresse, madame de Tencin.

On raconte encore qu'il passa le plus clair de son ministère à engranger de l'argent sur le dos des sept abbayes dont il avait la tutelle.

A-t-il des circonstances atténuantes ?

Certainement, oui. Il s'agit sans doute de l'un des hommes politiques les plus dénigrés de l'histoire de France, alors que ce petit abbé agité réussit tout de même à imposer l'idée d'une alliance avec l'Angleterre après la fin de la terrifiante guerre de la Succession d'Espagne. Par ailleurs, il fit cesser les persécutions contre les protestants et encouragea la naissance du système bancaire de Law – qui fut certes une catastrophe, mais marque la naissance de la finance moderne.

Les détracteurs de Dubois lui reprochaient surtout ses origines modestes – il était fils de médecin – et d'être arrivé aux plus hautes fonctions par son travail et son mérite, ce qui n'était guère à la mode encore au sein de la noblesse.

LOUIS ARMAND DE BOURBON

Responsable de la banqueroute

1720

L e véritable bossu, celui qui inspira le personnage de Paul Féval, n'était pas le chevalier de
Lagardère habilement déguisé, mais l'artisan de la
banqueroute de Law, dont il fit s'effondrer le système
en quelques heures après s'être enrichi grâce à lui…

Il est nul !

Louis Armand de Bourbon,
comte de La Marche, prince de
Conti, car fils du « grand Conti »,
naquit disgracié, bossu et d'une
laideur telle qu'on le surnomma
le « Singe vert ». Sa carrière à la
cour du régent fut pourtant des
plus brillantes.

C'est dire que la confiance dont
ce grand personnage de l'État
semblait donner au système du
banquier Law était une bonne
garantie pour la Banque Générale. Louis Armand de
Bourbon mena finement sa barque, achetant du papier-
monnaie qu'il convertissait rapidement en or.

C'est pourtant lui qui est la cause de l'effondre-
ment du système, la célèbre « banqueroute de Law ».
Prétextant un différend personnel avec le banquier, le
Singe vert fit retirer tout son or de la banque, orga-

nisa la mise en scène fracassante de son départ et de sa méfiance en faisant ostensiblement transporter ses caisses d'or dans des fourgons qui battaient le pavé de la rue Quincampoix.

Aussitôt, tous les clients de la banque voulurent eux aussi retirer leur argent, ce qui causa la faillite du système.

A-t-il des circonstances atténuantes ?

Bossu, disgracié, cela devrait suffire.

Malheureusement, cela n'excuse pas tout. Le bossu était surtout un sale bonhomme, dont les mésaventures financières ne sont pas les pires méfaits.

Malgré sa laideur, il trouva à se marier avec sa cousine Louise Élisabeth de Bourbon, qui lui fit cinq enfants, ce qui n'est pas rien, et poussa la gentillesse jusqu'à le soigner lorsqu'il fut atteint de la petite vérole.

Car monsieur le Singe vert trompait sa femme ! Et pourtant, lorsqu'elle décida d'en faire autant avec le marquis de la Fare, il la séquestra et la battit.

La comtesse réussit à s'enfuir, mais il la fit poursuivre et l'aurait sans doute tuée si ses amis du grand monde ne s'en étaient pas mêlés.

Et puis il faudrait également considérer sa carrière militaire, assez lamentable, puisque, lorsqu'il fut élevé au rang de lieutenant général durant la guerre d'Espagne en 1719, il ne réussit qu'à se faire haïr de ses troupes et de ses compagnons d'armes, qui firent en sorte que lui soit rapidement retiré son commandement.

CHARLES DE ROHAN SOUBISE

Couard et imbécile sur le champ de bataille

NOVEMBRE 1757

L a bataille de Rossbach était impossible à perdre, tant les troupes françaises dirigées par Charles de Rohan étaient supérieures en nombre à celles du roi de Prusse. Et pourtant !

Il est nul !

Le maréchal Charles de Rohan, prince de Soubise, va démontrer son absence totale d'intuition et de sens de l'organisation durant cette funeste bataille de Rossbach.

Les troupes du roi de Prusse, inférieures en nombre, s'étaient avancées presque au milieu des troupes ennemies françaises. Il semblait alors évident que la bataille était gagnée avant même de commencer.

Or, la cavalerie prussienne réussit à défaire les armées du prince

de Soubise. Il faut dire que les Français avaient mis un temps infini pour lever le camp, ranger leurs petites affaires et se mettre en ordre de bataille. Les armées se trouvaient dans le plus grand désordre. Les Prussiens en profitèrent. Les cavaliers français furent dispersés, poursuivis, massacrés.

Il y eut 8000 morts français contre quelques centaines pour les troupes prussiennes. La bataille n'avait duré pourtant qu'un peu plus d'une heure.

A-t-il des circonstances atténuantes ?

À Rossbach, aucune !

Il s'est comporté comme un couard et un imbécile…

Mais il essaya de se rattraper par la suite en remportant des victoires à la tête de l'armée du Rhin. Et puis ce fut l'un des hommes les plus détestés de France, ce qui impose le respect.

Les critiques qui le visaient tentaient d'atteindre indirectement son amie la marquise de Pompadour. De son attitude, on écrivit : *« Ce général est un fléau national, rien ne le rebute ; il a beau être déshonoré et flétri par les chansons, les brocards et les malédictions, il a une ambition constante et inaltérable. Les injures et les plaisanteries ont été poussées jusqu'à l'indécence, on en a fait un gros recueil, intitulé* La Soubisade… *»* De plus, libertin et bibliophile, il symbolise une certaine image légère et cultivée de son siècle.

Et puis la défaite lamentable de Rossbach est à l'origine d'une mythologie amusante, puisqu'on y associe le personnage de Fanfan la Tulipe. Une chanson satirique, écrite par un dénommé la Tulipe s'adressant à la Pompadour et décrivant la catastrophe en termes peu aimables pour Soubise.

« Tous ces amis, chère marquise/Seraient aujourd'hui parmi nous/Si vous n'aviez nommé Soubise/Cet incapable ! Ce filou. »

Jean-Baptiste de Machault d'Arnouville

Il a fait perdre l'Inde à la France !

1757

Se taillant un empire aux portes de l'Orient, notre pays possédait en Inde quelques beaux territoires qu'il aurait pu conserver encore longtemps... Seulement, voilà : monsieur Jean-Baptiste de Machault d'Arnouville n'aimait pas monsieur Dupleix et exigea sa révocation, ce qui, par contrecoup, entraîna la perte définitive de notre colonie indienne...

Il est nul !

Dupleix était donc gouverneur général des Établissements français de l'Inde, et il s'ingéniait à tenir la dragée haute aux Anglais qui souhaitaient eux aussi profiter de la désorganisation de l'Empire moghol pour conquérir les richesses de ce grand pays. La lutte contre la compagnie anglaise des Indes aurait pu parfaitement tourner au bénéfice des Français. Avec la destruction de Madras, le siège de Pondichéry, la guerre entre les deux puissances coloniales faisait rage.

Mais Dupleix déplaisait en haut lieu, et particulièrement à ce monsieur Machault, secrétaire d'État à la Marine, qui sacrifia le lointain Dupleix pour essayer d'amadouer les Anglais en Europe. Il fit donc littéralement arrêter et embarquer de force Dupleix le 12 octobre 1754. Les Anglais furent aux anges.

Leur seul ennemi disparu, ils se lancèrent à la conquête de la péninsule. Beau travail ! Jean-Baptiste de Machault d'Arnouville, d'un trait de plume, venait de priver la France de sa plus belle colonie.

Et cette concession aux Anglais n'eut aucune conséquence en Europe : ils continuèrent à nous détester. Tout ça pour rien.

A-t-il des circonstances atténuantes ?

La Pompadour l'a viré !

Bien fait. Sans cet imbécile, nous pourrions parler français dans les ruelles d'Old Delhi, rebaptisé le « Vieux Delhi », Balzac aurait été notre Kipling et puis nous aurions été expulsés aussi. Car Gandhi nous aurait bien sûr fichus à la porte, mais la présence française aurait laissé quelques belles traces…

LOUIS JOSEPH DE MONTCALM
Il nous a fait perdre l'Amérique française !
1759

La défaite de la bataille des plaines d'Abraham durant le siège de la ville de Québec a des conséquences terribles. Le Canada français tombe aux mains des Anglais. Ah ! maudit !

Il est nul !

Ce noble originaire du Rouergue fut nommé lieutenant général des armées en Nouvelle-France. Le 13 septembre 1759, Montcalm est assiégé dans la ville de Québec et cela dure depuis le 27 juin avec l'arrivée de la flotte anglaise dans les eaux du Saint-Laurent.

Ce sont les Anglais qui décident de la bataille finale à l'instigation de leur chef, Wolfe, qui avait longuement étudié la topographie des « plaines » d'Abraham, à deux pas de la ville assiégée. En faisant débarquer ses hommes, il provoque les combats. Et Montcalm jette ses troupes dans le piège. Car les « plaines » ne sont qu'une succession de petits talus à escalader et de petits ruisseaux à enjamber. En dévalant vers les troupes anglaises, les Français se désunissent, se fractionnent en petits groupes désorganisés. Pire, ils font feu sur les troupes anglaises avant même d'arriver à leur portée. Les Anglais, plus sages et calmes, attendent et foudroient les Français d'une première salve mortelle, puis ils chargent.

Montcalm, ce jour-là, ne semble avoir eu aucune emprise sur ses troupes. Des Amérindiens ralliés aux Français infligent plus de pertes aux troupes anglaises que la charge désordonnée des Français. La bataille est perdue en un peu plus d'une heure, et ses deux généraux, Wolfe et Montcalm, sont blessés mortellement.

C'est tragique et, plus tragique encore, la France abandonne le Québec.

A-t-il des circonstances atténuantes ?

Comment oser dire d'un héros québécois qu'il est nul !

Mais oui, il a toutes les excuses : les Anglais étaient en surnombre, et ce sont évidemment eux les méchants dans cette histoire. La bataille des plaines d'Abraham est à l'origine de la quasi-totalité des éléments de la mythologie québécoise contemporaine.

La route entre Montréal et Québec, par laquelle furent transportés à dos de mulet les vivres destinés à nourrir les assiégés, se nomme encore le chemin du Roy, et chaque année les « plaines » – à la vérité bien vallonnées – sont le théâtre de grandes festivités.

Et puis Montcalm est un héros, patriote et fort en gueule, comme la France les aime. À l'agonie, il aurait demandé :

— Combien de temps me reste-t-il à vivre ?

— Quelques heures à peine.

— Tant mieux, je ne verrai pas les Anglais à Québec…

HUBERT DE BRIENNE, COMTE DE CONFLANS
Un lamentable militaire
NOVEMBRE 1759

Encore un militaire lamentable. Le XVIIIᵉ siècle en fut particulièrement bien pourvu. Celui-ci est du genre involontairement facétieux, puisqu'il détruisit lui-même son navire amiral…

Il est nul !

Bien que la bataille de Belle-Île – la déroute de Belle-Île, faudrait-il dire… – ne soit pas la plus connue de nos défaites, elle mérite d'être rappelée.

Louis XV avait l'intention d'envahir l'Écosse. Hubert de Brienne, comte de Conflans, vice-amiral du Ponant, élevé au rang de maréchal de France par le roi, se voit confier une mission de second rang, la protection de la flotte française en route vers les côtes britanniques, tandis que le commandement réel de l'opération est sous la responsabilité de l'un de ses ennemis intimes, le duc d'Aiguillon.

La flotte française est réunie dans le golfe du Morbihan. Les Anglais, plutôt que d'attendre benoîtement qu'on les envahisse, ont envoyé dans les eaux françaises une partie de leur escadre.

Les vaisseaux très mobiles du commodore Duff naviguent au large de nos côtes, tandis que la plupart des navires anglais, commandés par l'amiral Hawke, croisent au large de Brest.

Le comte de Conflans profite de la tempête qui disperse les Anglais pour lever l'ancre et quitter le golfe du Morbihan en direction de Belle-Île.

Dans un premier temps, il réussit à chasser l'avant-garde du commodore Duff et est à deux doigts de remporter une belle victoire navale.

Mais il se retrouve soudain devant un ennemi, ramené par des vents généreux, supérieur en nombre. L'amiral Hawke, à la tête de sa flotte de guerre, contraint la flotte du comte de Conflans à un repli prudent vers la baie de Quiberon. Conflans pense que les Anglais ne le suivront pas dans cette zone qu'ils connaissent mal. Funeste erreur : l'amiral Hawke le poursuit bel et bien et coule quelques-uns de ses navires jusqu'à ce que la nuit mette fin aux combats.

Et c'est là que l'histoire devient pathétique et cocasse.

Le navire amiral, le *Soleil royal*, du comte de Conflans, mouille dans une baie… sans savoir que la flotte britannique est là, à quelques encablures, dans l'obscurité et le brouillard.

Au petit jour, découvrant l'ennemi à deux pas de lui, Conflans lève l'ancre en catastrophe et fait voile vers Le Croisic, où son navire s'échoue lamentablement sur des bancs de sable.

Alors, pour éviter d'être pris, l'amiral fait piteusement brûler l'une des plus belles pièces de la flotte de Louis XV.

A-t-il des circonstances atténuantes ?

Pas de chance, et puis il avait mis tout son cœur dans la bataille. Notons qu'il fut en grande partie vaincu par les éléments, le vent, le brouillard, complices habituels des Anglais.

FRANÇOIS-CLAUDE AMOUR, MARQUIS DE BOUILLÉ

La catastrophique fuite à Varennes

JUIN 1791

La « fuite à Varennes » a été organisée en dépit du bon sens. Le marquis de Bouillé, chargé de l'intendance de l'opération, en est le principal responsable. Les royalistes ne lui disent pas merci.

Il est nul !

Cousin de La Fayette, militaire engagé dans la guerre de l'Indépendance américaine, grand voyageur, Bouillé fut dès le début de la Révolution le partisan d'une riposte vigoureuse de la noblesse contre la fin des privilèges, contre les troubles dans les garnisons dont il a le commandement, contre tout ce qui bouge en ces années troublées. C'est  surtout un proche de Louis XVI et, dès que cela semble tourner vraiment mal pour la famille royale, il est impliqué dans l'organisation de sa fuite à l'étranger.

L'objectif de l'opération : « *Sortir de sa prison des Tuileries et se retirer dans une place frontière dépendant du commandement de monsieur de Bouillé. Là, le roi réunirait des troupes ainsi que ceux de ses sujets qui lui étaient restés fidèles et chercherait à ramener le reste de son peuple égaré par des factieux… »*

La fuite à Varennes est un fiasco. Le roi est reconnu en chemin et arrêté avec toute sa famille. L'inorganisation de l'expédition a souvent été mise en cause, et donc le responsable de l'opération, ce pauvre Bouillé, qui en avait conçu le scénario avec Fersen.

A-t-il des circonstances atténuantes ?

Oui. Ce n'est pas son plan qui est responsable de la catastrophe, mais la manière dont il a été mis en œuvre.

Bouillé avait suggéré que, pour plus de discrétion, la famille royale se divisât en deux groupes, ce que la reine avait refusé. Cela aurait permis l'utilisation de deux véhicules plus discrets que cette grosse berline dont l'opulence attira l'attention aux relais de poste.

C'est la reine encore qui contredit Bouillé lorsqu'il proposa que la famille soit accompagnée par le comte d'Argoult, un ancien militaire qui aurait su prendre des initiatives. Marie-Antoinette lui préféra la marquise de Tourzel qui joua – mal – le rôle d'une comtesse russe de retour à Francfort.

Bouillé, en revanche, avait tout prévu sur le plan militaire. Des hommes à lui étaient prêts à accompagner le roi sur l'ensemble du parcours.

C'est la petite intendance qui n'a pas suivi et le hasard qui s'en est mêlé : un retard par-ci, une imprudence par-là, un mauvais coup du sort, un laquais perspicace…

JEAN-CHARLES PICHEGRU
Il a trahi la Révolution !
MARS 1796

Né dans une famille de paysans, il s'éleva aux plus hauts rangs de la hiérarchie militaire. Pourtant, en 1795, il commença à se laisser séduire par les propositions d'un agent royaliste agissant pour le prince de Condé.

Il est nul !

En mars 1796, il réussit à faire échouer une offensive du général Jourdan vers Düsseldorf en se faisant volontairement battre sur les rives du Rhin.

Et ce ne fut pas la dernière de ses trahisons.

En bon habitué, il remit ça contre Bonaparte. La conspiration de Cadoudal visait au rétablissement de la monarchie. Mais Pichegru n'eut pratiquement pas le temps d'y participer. Car, selon Las Cases, l'un des « quatre évangélistes » de l'épopée napoléonienne, il fut à son tour odieusement trahi : « *En 1803 à l'époque de la fameuse conspiration, Pichegru fut victime de la plus infâme trahison : c'est vraiment la dégradation de l'humanité. Il fut vendu par un ami intime, qui vint offrir de le livrer pour cent mille écus. La nuit venue, l'infidèle ami conduisit les agents de la police à la porte de Pichegru. On ouvrit doucement la porte à l'aide de fausses clefs que l'ami avait fait faire exprès. On renversa la table de nuit, la lumière s'éteignit, et l'on se colleta avec Pichegru, réveillé en sursaut. Il rugissait comme un taureau.* » Pichegru fut enfermé à la prison du Temple où il se « suicida » avec sa propre cravate.

A-t-il des circonstances atténuantes ?

L'homme ne manquait pas de panache. Ainsi arrêté après le coup d'État du 18 fructidor de l'an V, il fut condamné à la déportation à Cayenne, dont il s'évada. Et puis ses actes de traîtrise sont le plus souvent des actes de bravoure menés au nom de convictions – parfois liées aussi à des promesses de rémunération ou de récompense, certes…

L'Empire
et la Restauration

Voici des âges héroïques : l'épopée
napoléonienne, sa fin aux allures de
tragédie antique, la Restauration qui succède
à l'Empire. De grands événements durant
lesquels il devait être impossible d'être nul
tant les circonstances étaient extravagantes…
Mais si ! Les nuls ne respectent rien, pas même
la grandeur.

JACQUES GARNERIN
Il ridiculise Napoléon
DÉCEMBRE 1804

Cet aéronaute, pionnier du vol libre en ballon, fut chargé d'organiser un spectaculaire spectacle aérien lors du sacre de Napoléon en 1804. Il réussit – bien contre son gré – à faire rire l'Europe entière au détriment de l'Empereur.

Il est nul !

Le 5 décembre 1804 pendant les fêtes du couronnement de Napoléon Bonaparte, Empereur des Français, Jacques Garnerin, l'inventeur du parachutisme, procéda au lâcher d'un ballon libre qui allait bizarrement entrer dans l'histoire et lui causer les pires ennuis. Sur ses flancs, un bandeau annonçait *« Paris, 25 frimaire an XII, couronnement de l'Empereur Napoléon par Sa Sainteté Pie VII ».*

L'engin s'éleva du parvis de Notre-Dame, éclairé par les lueurs d'un feu d'artifice, sous les acclamations de la foule. Et il disparut…

Le ballon emporté par des courants dans les hautes couches de l'atmosphère parcourut plus de 1000 kilomètres vers le sud-est. *« Tôt le lendemain matin,* raconte Michel Poniatowski dans sa biographie de Garnerin, [le ballon] *arrivait au-dessus de Rome, ayant perdu toute son altitude et traînant presque au sol. Les habitants de la Ville éternelle se pressaient dans les rues pour l'observer, et essayaient d'en déchiffrer les caractères en or. L'aérostat tourbillonna quelque temps au-dessus de Saint-Pierre et du Vatican et repartit en sens inverse vers le nord. »*

Et c'est là que cela se gâte ! Car le ballon commit un véritable crime de lèse-majesté en allant malicieusement s'écraser sur l'emplacement du tombeau de Néron où il laissa quelques lambeaux de son enveloppe dorée avant de se déchiqueter.

La presse italienne trouva matière à chroniques malicieuses. Un trajet menant directement du couronnement d'un empereur de pacotille à la tombe d'un fou despote permettait mille plaisanteries…

A-t-il des circonstances atténuantes ?

Oui, car il a aussi inventé le parachute.

Le 22 octobre 1797, André-Jacques Garnerin s'installa dans une sorte de nacelle en bois, suspendue à un cône de toile, lui-même accroché sous une montgolfière. Celle-ci s'éleva à 300 mètres au-dessus du sol. Le lien reliant les deux engins fut alors coupé, et Garnerin descendit doucement vers le sol où il atterrit sans dommage. Comme il avait trouvé l'expérience plaisante, il recommença. Le parachutisme était inventé. Cela mérite un peu de complaisance à son égard.

PIERRE CHARLES SILVESTRE DE VILLENEUVE

Honteux perdant de Trafalgar

OCTOBRE 1805

Napoléon, comme la plupart des souverains français avant lui, avait le désir obsessionnel d'envahir l'Angleterre. Un homme, un seul, réussit à l'en empêcher en étant responsable de l'une des plus cuisantes défaites de la France sur terre et sur mer : Pierre Charles Silvestre de Villeneuve, commandant en chef de la flotte franco-espagnole lors de la bataille de Trafalgar.

Il est nul !

Capitaine de vaisseau en 1793, il avait déjà été impliqué, durant la campagne d'Égypte, dans un désastre naval français en assistant, impuissant, à la destruction de l'escadre de Brueys lors de la bataille navale d'Aboukir. Comme il réussit à sauver ses navires du désastre, cela lui valut de monter encore un peu en grade.

En 1804, à la suite du décès brutal du vice-amiral Latouche-Trévise, il se retrouve à la tête de la flotte à laquelle Napoléon confie un plan bien compliqué.

Il fallait organiser une mise en scène pour tromper l'ennemi et réussir à attirer la flotte anglaise vers les côtes antillaises tout en concentrant des forces au large de l'Espagne.

À la suite de quelques péripéties, d'une ou deux batailles sans résultats décisifs, la flotte de Villeneuve se retrouve au large de Cadix.

L'amirauté lui ordonne de sortir de Méditerranée, tandis que Napoléon, soudain fort peu confiant en ses qualités de stratège, lui envoie un remplaçant, l'amiral Rosily, qui arrive malheureusement trop tard.

Villeneuve se décide donc à sortir de la baie de Cadix, non sans avoir analysé les techniques de guerre de son ennemi l'amiral Nelson. Il organise sa flotte – composée de navires très hétéroclites, français ou espagnols – de manière à anticiper les attaques des Anglais. La plus importante flotte de guerre réunie sous commandement français semble bien armée pour vaincre la fatalité et gagner enfin une bataille navale contre l'Angleterre. Le vent en décide autrement, et la houle bouleverse le bel alignement de la flotte.

Villeneuve commence lui aussi à flotter et se perd en atermoiements. Les Anglais en profitent. Las Cases, dans *Le Mémorial de Sainte-Hélène*, lui fait son affaire : « *Avec plus de vigueur au cap Finisterre, Villeneuve eût pu rendre l'attaque du Royaume-Uni praticable. Son apparition avait été combinée de très loin avec beaucoup d'art et de calcul, en opposition à la routine des marins qui entouraient Napoléon ; et tout réussit jusqu'au moment décisif ; alors la mollesse de Villeneuve vint tout perdre.* »

L'amiral Horatio Nelson donne le coup de grâce à la flotte française, face au cap Trafalgar. Il ne profite d'ailleurs guère de son succès puisqu'il est blessé mortellement durant les combats. À jamais inconsolable de sa grosse bêtise, Villeneuve s'est « suicidé » de six coups de poignard dans la poitrine le 22 avril 1806.

A-t-il des circonstances atténuantes ?

Nelson. Que faire contre cet homme ?

JEAN-GABRIEL MARCHAND
Impuissant face à Napoléon
MARS 1815

Il suffirait parfois de presque rien pour faire changer le cours de l'histoire. Le général Jean-Gabriel Marchand n'aurait eu qu'un geste à faire pour arrêter l'Empereur déchu lors de son retour de l'île d'Elbe. Il n'a pas été assez ferme, entraînant la France dans l'aventure des Cent-Jours et le désastre de Waterloo.

Il est nul !

Jean-Gabriel Marchand est à la tête des troupes, fidèles au roi Louis XVIII, du 5ᵉ régiment d'infante-

117

rie de ligne cantonnées à Grenoble. Il est bien décidé à stopper la progression de l'Empereur, qui remonte vers le nord en empruntant ce que l'on dénommera plus tard la « route Napoléon ». Le 7 mars 1815, il l'attend de pied ferme avec l'intention de l'intercepter et de l'incarcérer au fort Barraux.

Mais ses troupes en décident autrement, et c'était sans compter sur le sens de la mise en scène grandiloquente de Napoléon. Marchand a envoyé un bataillon garder le défilé de Laffrey.

Les hommes sont réunis dans une prairie lorsque survient l'Empereur. Il leur fait tout aussitôt une grande scène tragique. *« Soldats du 5ᵉ de ligne, je suis votre Empereur, reconnaissez-moi ! »* Et comme les soldats semblent hésitants, il s'approche d'eux, à portée de fusil. *« S'il est parmi vous un soldat qui veuille tuer son Empereur, me voici. »*

L'endroit s'appelle depuis la « prairie des rencontres ». Marchand doit se rendre à l'évidence : ses hommes ne lui obéiront pas. Il devait arrêter l'Empereur, et celui-ci est passé.

A-t-il des circonstances atténuantes ?

Que faire contre un cabotin pareil…

Et puis, après Waterloo, Marchand faillit payer les fautes commises par ses troupes. Il fut accusé d'avoir « livré Grenoble ». Avant de servir le roi Louis XVIII, Marchand avait été un des héros de l'épopée napoléonienne, ce qui lui avait valu d'être décoré du grand aigle de la Légion d'honneur. Ses nouveaux maîtres eurent du mal à croire qu'il n'avait pas trahi. Il y eut un long procès ; on l'acquitta. À défaut d'avoir arrêté Napoléon, Marchand est le héros involontaire d'une belle scène de l'aventure napoléonienne, autant dire de notre mythologie nationale.

EMMANUEL, MARQUIS DE GROUCHY
... en retard à Waterloo !
JUIN 1815

Grouchy ! Waterloo morne plaine, c'est de sa faute… Depuis que Victor Hugo l'a nommément rendu responsable de la défaite de Waterloo, son nom est synonyme de « responsable d'une catastrophe militaire ».

« Le centre du combat, point obscur où tressaille/La mêlée, effroyable et vivante broussaille/ Et parfois l'horizon, sombre comme la mer./Soudain, joyeux, il dit : Grouchy ! – C'était Blücher. »

Il est nul !

Le marquis Emmanuel de Grouchy, maréchal d'Empire, a commis un crime définitif dont les conséquences ont bouleversé sans doute l'histoire de

France et d'Europe : il n'a pas été fichu d'empêcher les troupes prussiennes d'arriver sur le théâtre de la bataille de Waterloo, donnant ainsi la victoire définitive aux troupes alliées. Grouchy n'était tout simplement pas là où on l'attendait.

De son arrivée à la tête d'une troupe de 30 000 hommes dépendait la solidité du flanc droit des troupes de l'Empereur. Loupé.

Dans *Le Mémorial de Sainte-Hélène*, on peut lire sous la plume de Las Cases : « *Le maréchal Grouchy avec 34 000 hommes et 108 pièces de canon a trouvé le secret qui paraissait introuvable de n'être, dans la journée du 18, ni sur le champ de bataille de Mont-Saint-Jean ni sur Wavre... La conduite du maréchal Grouchy était aussi imprévisible que si, sur sa route, son armée eût éprouvé un tremblement de terre qui l'eût engloutie.* »

En fait, après avoir battu des troupes prussiennes, Grouchy s'était replié vers Namur, puis, croyant la bataille gagnée, en France jusqu'à Reims. C'est ballot.

A-t-il des circonstances atténuantes ?

Ce n'est pas de sa faute, il n'a pas été prévenu à temps.

En toute bonne foi, il exécutait ses ordres initiaux : combattre et poursuivre les Prussiens là où il se trouvait, alors qu'il aurait été plus utile sur le principal champ de bataille !

Résultat : il arriva à Wavre, alors que les troupes ennemies de Blücher étaient déjà à Waterloo. Un problème de transmission ! Rien de plus.

LE VICOMTE BONALD
Il a aboli le divorce !
MAI 1816

R éac ! La Restauration ne fut évidemment pas le retour des plus aimables démocrates humanistes de notre histoire. Bien des membres de la noblesse revancharde profitèrent des circonstances pour imposer l'annulation pure et simple de tous les droits acquis durant la Révolution et l'Empire. Le vicomte de Bonald pesa en particulier pour l'abrogation du divorce.

Il est nul !

Un temps élu durant la Révolution, de Bonald émigra à Heidelberg avant de revenir en France au début de l'Empire. Il publia quelques articles dans *Le Mercure de France* tout en vivant reclus dans ses terres... En 1815, à la restauration de la monarchie, le vicomte de Bonald, membre du Conseil royal de l'Instruc-  tion publique avant les Cent-Jours, élu à la Chambre des députés par le département de l'Aveyron, est l'auteur d'une proposition de loi abrogeant et interdisant le divorce – qualifié de « poison révolutionnaire ». La loi est votée le 8 mai 1816. Cette interdiction eut pour conséquence le retour pour les couples désaccordés du statut imparfait de « séparés de corps », jusqu'à la nouvelle loi rétablissant le divorce en 1884.

Ce ne fut qu'une des décisions prises à l'initiative de ce réactionnaire convaincu que la Déclaration des droits de l'homme et du citoyen était forcément génératrice d'anarchie. La liberté individuelle était pour lui forcément cause de troubles et de destruction de la structure même de la société.

Il divisait le monde en trois classes : les souverains (Dieu, le roi), les ministres (l'Église, la noblesse) et les autres, ceux qui n'avaient qu'à obéir (le peuple).

A-t-il des circonstances atténuantes ?

Bizarrement, ce réactionnaire de haut vol fut aussi un précurseur du structuralisme linguistique. Il fut l'un des premiers à se pencher sur la nature du langage. Malheureusement, ses théories en la matière reposaient elles aussi sur une vision particulièrement rétrograde de l'organisation de la société. On ne se refait pas ; tout au plus, on se restaure.

Hugues Duroy de Chaumareys
Naufrageur de la Méduse
JUIN 1816

Le naufrage de la *Méduse* est à l'origine de l'une des œuvres d'art les plus célèbres de l'histoire de la peinture française : *Le Radeau de la Méduse* de Géricault. Mais ce fut d'abord et avant tout un terrible drame, causé par l'insondable incompétence du commandant de la frégate, l'officier de marine Duroy de Chaumareys.

Il est nul !

Le 17 juin 1816, une flottille quitte l'île d'Aix pour rallier Saint-Louis, au Sénégal. Les quatre navires, la corvette l'*Écho*, les deux petits voiliers la *Loire* et l'*Argus*, et le navire amiral la *Méduse*, transportent des fonctionnaires et des militaires affectés au Sénégal. On y retrouve des passagers de tous types, des simples soldats aux plus haut gradés, comme le colonel Schmaltz, nouveau gouverneur du Sénégal, accompagné de sa femme.

La Restauration manque de grands marins. La plupart s'étant « compromis » avec l'Empire, c'est donc un commandant de frégate n'ayant pratiquement pas navigué depuis le règne de Louis XVI qui prend le commandement de l'expédition.

Tout de suite, n'écoutant pas l'avis de ses officiers, pourtant habitués des eaux africaines, Chaumareys, à bord du navire amiral, distance le reste du convoi, s'égare le long des côtes mauritaniennes et préfère naviguer au plus près des rives plutôt que de passer très au large comme le lui conseillent les instructions écrites de son commandement.

Ce qui devait arriver arriva : la *Méduse* s'échoue sur le banc d'Arguin, banc de sable pourtant bien connu de tous les marins. Les tentatives pour désensabler le navire restent vaines.

Un radeau est construit pour qu'on y décharge une partie de la cargaison dans l'espoir de pouvoir déplacer le navire ainsi allégé.

Déjà, Chaumareys, dépassé par l'événement, ne contrôle plus rien. Les marins en prennent à leur aise, se saoulent, n'en font qu'à leur tête. Et quand survient une tempête, c'est la débandade. Le navire risquant de se désagréger, l'abandon est décidé. Une partie des marins, dont Chaumareys, prend place sur des chaloupes, le reste de l'équipage, 152 marins, dont quelques officiers et une femme, s'installe sur le radeau.

Les chaloupes devraient tracter le radeau jusqu'à la côte sénégalaise, mais très vite on largue les amarres, peut-être à l'initiative de Chaumareys, ou sans qu'il s'y oppose. Le radeau part à la dérive. Pendant treize jours, ses occupants tenteront de survivre, sans vivres et sans eau. Brûlant au soleil africain, bien peu résisteront.

Lorsque l'*Argus* réussit à retrouver le radeau disloqué par les tempêtes, il ne repêcha que quinze survivants. Chaumareys, arrivé à bon port à bord de l'une des chaloupes, fut tenu pour responsable de la catastrophe.

A-t-il des circonstances atténuantes ?

Le naufrage de la *Méduse* est un drame épouvantable – on parle de cannibalisme de la part de quelques survivants – causé par l'incompétence avérée d'un seul homme.

Chaumareys fut jugé pour abandon de poste. Il échappa de peu à une condamnation à mort.

LE CHANCELIER DAMBRAY
On le « crut Zoé »
1820

Il suffit de peu de chose pour passer pour un nul. Un mauvais jeu de mots, suscité par une circonstance un peu ridicule. Le chancelier Dambray est entré dans la légende grâce à un surnom ridicule, « Robinson », parce qu'on l'avait « cru Zoé ».

Il est nul !

Mais à son corps défendant. Le chancelier Dambray était l'un des plus proches conseillers du roi Louis XVIII. Il était donc l'un des rares personnages ayant accès directement au cabinet de travail du roi…

Mais pas le seul, car Louis XVIII, âgé alors d'une soixantaine d'années, avait un goût prononcé pour les femmes charmantes et extravagantes. On lui connaît quelques maîtresses. Il fréquentait alors la dénommée

Zoé Victoire Talon, comtesse Achille de Baschi du Cayla. Cette quadragénaire, fille d'un marquis un temps soupçonné d'être un agent à la solde des Bourbons durant l'Empire, fréquentait assidûment les milieux ultraroyalistes. Mariée au comte Achille Pierre Antoine de Baschi du Cayla, marquis d'Aubais, pair de France, elle détenait des papiers bien compromettants, liés à un complot royaliste au début de la Révolution, qui projetait d'enlever Louis XVI pour lui substituer son frère, le futur Louis XVIII... En les détruisant, elle enlevait un grand poids au nouveau roi.

De là à devenir sa maîtresse...

Ce qui arriva. Or donc, un jour, le chancelier Dambray, que nous allions finir par oublier, frappe à la porte du roi, qui lui répond :

— Entre, ma chérie !

Car il pensait qu'il s'agissait de la belle Zoé.

L'histoire fit le tour du palais, et Dambray fut donc surnommé Robinson, car « on l'avait cru Zoé »...

A-t-il des circonstances atténuantes ?

Eh bien, oui, le pauvre. Mais comme c'est un assez bon jeu de mots, tant pis pour lui !

LE COMTE DE VILLÈLE
Il musela la presse
1822

L a liberté de la presse n'a jamais été la préoccupation principale des gouvernements, en particulier durant ce XIXe siècle qui vit pourtant la naissance de la presse moderne. Joseph de Villèle, ministre des Finances, puis président du Conseil sous Louis XVIII, était au pouvoir lorsque fut instituée une loi particulièrement répressive…

Il est nul !

Il était contre, mais il laissa faire… La loi de 1822 impose une autorisation préalable aux journaux pour qu'ils puissent paraître. Autant dire qu'aucun journal ne peut plus se permettre de publier des informations contraires à ce que l'État considérait comme ses intérêts.

La presse libérale fut la première victime de cette censure préalable. La mode était lancée : la presse libre venait à peine de naître que déjà elle était mise au pas.

A-t-il des circonstances atténuantes ?

Il était sans doute contre la censure que son gouvernement imposa…

Mais cela ne fait pas de lui un grand démocrate. Son ministère fut l'instigateur de mesures particulièrement réactionnaires, au sens initial du terme.

Il remit au pas les universités, il écrasa la « charbonnerie », ce mouvement qui voulait destituer les Bourbons pour les remplacer par un monarque plus libéral, il se lança dans une guerre stupide contre l'Espagne – dont on ramena le mot « Trocadéro » –, il laissa l'Église se mêler à nouveau des affaires de l'État...

PIERRE DEVAL
Le coup d'éventail qui déclencha une guerre
AVRIL 1827

C'est l'histoire d'un coup d'éventail qui entraîne une guerre de conquête, 130 années d'occupation, une seconde guerre – de libération celle-là –, des dizaines de milliers de morts, de la rancœur... Tout cela parce qu'un petit consul vraisemblablement raciste avait cru bon d'exprimer son mépris au dey d'Alger.

Il est nul !

Pierre Deval, consul de France à Alger, n'était sans doute pas la bonne personne à envoyer ce jour-là négocier une vieille affaire opposant la France à l'Algérie. En 1798, durant la campagne d'Égypte, des négociants algériens avaient ravitaillé l'armée française..., mais n'avaient jamais été payés pour les tonnes de blé livrées.

Napoléon fit la sourde oreille aux multiples demandes de paiement émanant du dey d'Alger qui avait avancé l'argent. Trente ans plus tard, la dette courait toujours.

Le 30 avril 1827, le dey d'Alger reçoit donc le consul de France Pierre Deval. L'affaire de la dette de 1798 vient sur le tapis. Le consul prend la chose de très haut. Le dey d'Alger, excédé, lui donne par conséquent un coup d'éventail. D'éventail, pas de sabre ou de matraque, juste un petit geste d'agacement, à peine un soufflet.

La France lance alors un ultimatum au dey. Ses ministres doivent venir s'excuser sur des navires français dans la rade, les bâtiments publics doivent arborer le drapeau français, l'Algérie doit s'engager à cesser toutes formes de piraterie, etc., etc.

Le dey refuse. La guerre est inéluctable. Le blocus est déclaré. Il va durer de nombreux mois, puis il y aura une seconde « affaire », liée au bombardement d'un navire français dans la rade d'Alger.

En 1830, la guerre est réellement déclarée. Le 14 juin 1830, les troupes françaises débarquent à Sidi-Ferruch dans un site repéré quelques décennies plus tôt par des espions envoyés par Napoléon qui, déjà…

A-t-il des circonstances atténuantes ?

Ce coup d'éventail ne fut évidemment qu'un prétexte. Pierre Deval était sans doute en mission, chargé de trouver un casus belli quelconque pour justifier l'agression et l'invasion de l'Algérie.

CHARLES X
Le Roi détesté
JUILLET 1830

Troisième frère régnant, après Louis XVI et Louis XVIII, Charles X est sans doute le moins « éclairé » des trois. Accédant au pouvoir à l'âge de 66 ans, il a encore la tête pleine de retour à l'Ancien Régime. En moins de cinq années de règne autoritaire, il réussit à se mettre la France à dos et sera renversé en 1830. Beau résultat.

Il est nul !

Déjà considéré comme réactionnaire du vivant et durant le règne de son frère Louis XVI, il y avait peu de raisons qu'il change. Pour bien montrer que le retour aux vieilles valeurs est engagé, il commence son règne en rétablissant la cérémonie du sacre à Reims, le 29 mai 1825.

Inspiré par Villèle, son règne est marqué par une série de mesures réactionnaires qui indisposent rapidement les libéraux, la naissante bourgeoisie d'affaires, qui représente alors la modernité. Il donne particulièrement des gages à l'Église, rétablissant le « crime de sacrilège », muselle la presse, se lance dans des guerres coloniales… Mais surtout il promulgue, le 25 juillet 1830, les Ordonnances de Saint-Cloud qui, en dissolvant les chambres et en changeant leur mode d'élection, ressemblent à un véritable coup d'État.

La jeunesse bourgeoise et le peuple s'échauffent. En trois jours – les Trois Glorieuses –, les 27, 28 et 29 juillet 1830, renversent le régime. Louis-Philippe, duc d'Orléans, est nommé lieutenant général du royaume. Charles X abdique au profit de son petit-fils – largement aussi nul que lui –, que nous reverrons bientôt lorsqu'il espérera régner sous le nom d'Henri V.

A-t-il des circonstances atténuantes ?

Accéder au trône à son âge, ce n'était pas raisonnable.

LE MARÉCHAL BERTRAND CLAUZEL
Humilié en Algérie
NOVEMBRE 1836

L a conquête de l'Algérie ne fut pas une promenade de santé, malgré la disproportion des forces en présence. Au cours du mois de novembre 1836, une expédition est organisée pour aller à la conquête de la ville de Constantine. Commandée par le maréchal Bertrand Clauzel accompagné par le duc de Nemours, elle fut un échec cuisant. Clauzel avait simplement oublié qu'à l'approche de l'hiver, même en Algérie, il fait très froid, et que la ville de Constantine était construite sur un promontoire quasi imprenable.

Il est nul !

La conquête de l'Algérie eut sa Bérézina.

À la tête de 7000 hommes, Clauzel quitte Bône le 13 novembre 1836. À marche forcée, la troupe parvient jusqu'au col de Râs-el-Akba, où elle se trouve confrontée à une tempête de pluie, de neige et de grêle.

Il faut une semaine pour arriver jusqu'à la porte de Constantine. Des hommes meurent de froid, d'autres sont victimes d'engelures profondes, il n'y a plus de bois pour les réchauffer, et l'intendance a le plus grand mal à rejoindre la troupe avec ses lourds chariots de munitions et de vivres.

Le maréchal, qui n'avait pas prévu la température polaire, n'avait pas conçu davantage que la vallée de l'Oued-Ramel constitue un fossé infranchissable aux portes de Constantine. Un seul pont étroit permet d'accéder à la ville, mais sous le feu de l'ennemi. Il n'y a pas davantage de pitons rocheux ou de plateaux bien situés pour installer l'artillerie...

Et comme si cela ne suffisait pas, la ville est très lourdement armée, le bey Achmet ayant appelé à la rescousse 1500 soldats turcs et kabyles... Aussi, toutes les attaques françaises se heurtèrent à des murs, murs de neige et de froid, murs de pierre des falaises, murs de soldats bien décidés à en découdre. Car, contre toute attente, Clauzel avait été bien optimiste : les habitants de Constantine ne se comportent pas en assiégés mais en combattants déterminés et multiplient les sorties victorieuses contre l'armée française.

Le 24 novembre, lassé et vaincu, le maréchal Clauzel ordonne la retraite. La garnison de Constantine poursuit la troupe et décime l'arrière-garde française.

Un fiasco de bout en bout.

A-t-il des circonstances atténuantes ?

Peut-être, si on considère que sa hiérarchie ne fit rien pour lui octroyer les renforts dont il avait besoin. Certainement pas, si on se contente d'évaluer ses qualités de stratège.

AIMABLE JEAN JACQUES PÉLISSIER, DUC DE MALAKOFF
Premier criminel de guerre
JUIN 1845

L e colonel Pélissier mérite sans doute le titre de « premier criminel de guerre », non pas qu'il n'y en eut jamais avant lui, mais « avant », la France ne prétendait pas mener des guerres civilisatrices.

Cette première guerre d'Algérie et la conquête du pays furent une succession de batailles sanglantes et de massacres. Le 18 juin 1845, une tribu arabe entière fut « enfumée » – gazée bien avant que ce ne soit la manière de détruire l'ennemi – par les troupes du colonel.

Il est nul !

Le colonel Pélissier avait participé aux premiers combats de 1830 en Algérie ; il y revient en 1844 pour poursuivre les combats, car décidément les tribus algériennes mettent bien du temps à accepter la colonisation... Pélissier participe à la bataille d'Isly, tandis qu'il est élevé au grade de lieutenant-colonel.

Le 18 juin 1845 ses troupes pacificatrices poursuivent une tribu dans les montagnes entre Ténès et Mostaganem. Pour leur malheur, plusieurs centaines de personnes, des guerriers, mais aussi leurs femmes, leurs enfants, des personnes de tous âges et conditions, se réfugient dans des grottes du Dahra.

Pélissier ordonne alors d'encercler le massif où se trouvent les grottes et de les enfumer, avec ordre de tirer sur toute personne tentant de s'échapper. Il n'y eut pas un survivant à cet horrible carnage...

A-t-il des circonstances atténuantes ?

Non. Mais ce n'était pas l'avis de ses contemporains.

Le crime de Pélissier suscita un grand émoi, mais ses supérieurs, en guise de remerciement sans doute, l'élevèrent au rang de gouverneur général de l'Algérie. Par la suite, il participa à la guerre de Crimée, ce qui lui vaut ce titre assez pompeux de duc de Malakoff. Maréchal et duc sous le Second Empire, il revint en Algérie pour y reprendre son poste de gouverneur. On baptisa même une ville algérienne de son nom.

LE GÉNÉRAL CAVAIGNAC
Un bain de sang à Paris
JUIN 1848

La révolution de février 1848 s'était déroulée de manière quasi pacifique. En revanche, il n'en fut pas de même des « journées de juin ». Quelques mois après le départ de Louis-Philippe, les Parisiens étaient à nouveau descendus dans la rue pour protester contre la fermeture des « ateliers nationaux », qui donnaient du travail à bon nombre d'entre eux. Ces « journées » s'achevèrent dans un bain de sang. Le général Cavaignac fut le responsable de la répression féroce qui s'abattit alors sur Paris.

Il est nul !

Les révoltes populaires commencèrent le 23 juin par l'érection de barricades autour du Panthéon. Dès le premier jour, les troupes de Cavaignac s'opposent violemment aux insurgés. Pour mater la révolution parisienne, le général constitue une troupe composée exclusivement de jeunes ruraux ne risquant pas de sympathiser avec la cause, incompréhensible pour eux, des militants pour une république démocratique et sociale. Il y adjoint des gardes nationaux et des gardes mobiles, recrutés dans les rangs de classes sociales réputées hostiles aux revendications des insurgés.

La répression des journées de juin est un véritable carnage. Il y eut certes 1500 victimes parmi les soldats, mais de 3000 à 5000 parmi les insurgés ; 1500 personnes furent fusillées sans jugement et 25 000 autres furent arrêtées, emprisonnées ou déportées en Algérie.

A-t-il des circonstances atténuantes ?

Selon ses contemporains, certainement. Le gouvernement républicain et bourgeois qui commençait à s'installer après la révolution de février n'avait absolument pas envie de se faire dépasser par quelques agités des faubourgs et par des socialistes.

Cavaignac fut récompensé pour toutes ses bonnes actions et élevé au rang de maréchal de France.

Cette notoriété soudaine en fit un personnage incontournable de la vie politique française et le poussa à se présenter à la première élection d'un président de la République française. Il fut battu par Louis-Napoléon Bonaparte, ce dont il ne se releva pas, et d'ailleurs il refusa de prêter serment à Napoléon quand celui-ci devint empereur. Pas forcément par défiance politique, mais plus certainement par rancœur : à quoi bon massacrer le peuple si on n'en est pas remercié ?

EUGÈNE ROUHER
Il *déporte* ses opposants
NOVEMBRE 1849

Le Second Empire fut sans doute une période de notre histoire plus contrastée que les jugements portés à son propos le laissent penser. Napoléon III ne fut pas toujours un despote sans âme, il eut même quelques lueurs qui en font l'un des précurseurs des sociétés modernes… Il n'empêche, il était aussi assez porté sur l'autorité et entouré de personnages assez radicalement doués pour la répression. Rouher en est le plus bel exemple, et il commence avant même l'instauration de l'Empire.

Il est nul !

Eugène Rouher ne supportait pas l'un des gadgets issus de la révolution de 1848, cette stupide abolition de la peine de mort pour les délits politiques qui privait d'une manière radicale de se passer de ses opposants. Certes, les exécutions sommaires des journées de juin démontraient qu'on pouvait toujours s'arranger, mais il s'agissait de cas exceptionnels.

Nommé à la Justice dans le gouvernement Hautpoul, il présente le 12 novembre 1849 une loi à l'Assemblée qui instaure la peine de déportation pour les crimes politiques. Cela peut paraître plus doux que la peine de mort, et ça l'est évidemment, mais les déportations vers l'Algérie, les côtes américaines ou principalement vers les îles Marquises n'avaient rien de voyages d'agrément. Beaucoup mouraient en route ou sur place. Les communards, déportés en Nouvelle-Calédonie, en furent les principales victimes. La déportation ne fut abrogée qu'en 1960 par le général de Gaulle.

A-t-il des circonstances atténuantes ?

Il valait sans doute mieux être déporté que fusillé…

Mais Eugène Rouher ne fut certainement pas un aimable humaniste. Sa carrière politique dans l'ombre de l'empereur – ce qui lui valut d'être baptisé le « vice-empereur » – est marquée par de nombreuses prises de position dans le sens d'un grand autoritarisme.

Et puis ce ne fut pas un aigle en matière de politique extérieure ! Il poussa à la désastreuse expédition mexicaine – comme tout le monde – et, sans doute pour soutenir la cause esclavagiste, eut un temps l'intention de ranger les troupes françaises aux côtés des sudistes durant la guerre de Sécession.

En revanche, il ne vit absolument pas les risques que faisait courir à l'Empire l'imminence d'une guerre avec la Prusse en 1870.

Le Second Empire

Le règne de Napoléon III a permis à la France d'entrer dans l'ère moderne. Pourtant, cette période durant laquelle les fastes de la cour redonnaient à notre pays son lustre perdu fut elle aussi propice à l'apparition de « nuls » de haute lignée. La « guerre de 70 » – et ce qui s'ensuivit – est une période particulièrement riche en personnages pathétiquement stupides.

L'IMPÉRATRICE EUGÉNIE
Frivole et piètre diplomate
1853

Que pourrait-on reprocher à cette femme charmante, la belle Eugénie de Montijo, que Louis-Napoléon Bonaparte épousa le 30 janvier 1853 ? Certainement pas d'avoir participé au coup d'État de l'année précédente, pas davantage d'avoir été légère, ce n'est pas un crime. Peut-être d'avoir donné au Second Empire cette allure de féerie hollywoodienne qui en dissimulait les travers… L'histoire lui donne souvent le mauvais rôle, en  particulier à la fin de l'Empire. Pour tout dire, il valait mieux qu'elle ne se mêle pas de politique étrangère…

Elle est nulle !

Elle est en tout cas plus impliquée dans l'élaboration de la politique impériale que son rôle officiel ne devait le laisser paraître. Catholique convaincue, de cette tendance ultramontaine aujourd'hui bien oubliée qui poussait au soutien du représentant de Dieu sur cette terre, elle poussa l'Empereur à prendre fait et cause pour le pape Pie IX contre les républicains italiens.

Elle poussa également Napoléon III à se lancer dans cette absurde expédition mexicaine qui se termina par un désastre.

Elle participe aussi, sans doute plus par bêtise que par calcul, au déclenchement de la guerre contre la Prusse en donnant par son soutien à l'Autriche des arguments à la Prusse pour attaquer la France.

A-t-elle des circonstances atténuantes ?

La plupart des reproches faits à Eugénie ont le mérite d'être contradictoires. Ainsi, on lui attribue une phrase concernant la manière dont elle résista aux avances de Napoléon jusqu'à son mariage :

— Par quel chemin vais-je pouvoir accéder à votre chambre ?

— Par la chapelle.

Ce qui dénoterait une grande pudeur. Par ailleurs, un libelle publié lors du mariage la présentait sous un autre jour : « *Montijo, plus belle que sage/De l'empereur comble les vœux :/Ce soir s'il trouve un pucelage/C'est que la belle en avait deux...* » Victor Hugo, qui ne supportait pas « Napoléon le petit », écrivit : « *L'Aigle épouse une cocotte.* » Alors, il faudrait savoir : une sainte ou une prostituée ? Quant à Maxime Du Camp, il disait qu'elle était « *superstitieuse et superficielle* ».

Elle se montra pourtant très attentive au sort des femmes de son temps. Elle demanda par exemple que le montant du fastueux cadeau que voulait lui faire la municipalité parisienne pour son mariage soit utilisé pour faire construire une école destinée à accueillir des jeunes filles orphelines et pauvres. On peut encore la voir dans le XIIe arrondissement parisien.

En tout cas, ça conserve, puisque Eugenia Maria Ignacia Augustina Palafox de Guzmán Portocarrero y Kirkpatrick de Closeburn, 18e marquise d'Ardales, 18e marquise de Moya, 19e comtesse de Teba, 10e comtesse de Montijo, dite Eugénie de Montijo, est morte en 1920 à 94 ans.

MICHEL CHASLES

Collectionneur de faux autographes

JUILLET 1867

Grand mathématicien, Michel Chasles, par ailleurs amateur d'autographes, a acheté et exposé pendant des mois des lettres prétendument écrites par Vercingétorix, Cléopâtre ou Jeanne d'Arc, de surcroît en bon français « médiéval »…

Il est nul !

La naïveté de ce grand savant est littéralement confondante. Un faussaire, Vrain-Lucas, découvrant le pigeon idéal, l'avait appâté en lui proposant précisément les documents que Chasles avait envie de posséder. En juillet 1867, le mathématicien Michel Chasles présente devant ses collègues de l'Académie des sciences – totalement médusés – des lettres autographes de Pascal qui démontraient que l'auteur des *Pensées* avait découvert le principe de l'attraction universelle bien avant Newton. Et tant pis si quelques savants étrangers firent remarquer que ce document devait être un faux puisqu'on y faisait allusion à des découvertes mathématiques bien postérieures à la mort de Pascal…

Par la suite, et malgré les doutes – voire l'ironie – qu'avait suscités l'exposition de ses premières trouvailles, Chasles continua à acheter, auprès de Vrain-Lucas qui n'en demandait pas autant, de nouvelles lettres, au contenu de plus en plus extravagant. Chasles se retrouva donc à la tête d'une collection d'écrits de Jules César envoyant ses meilleurs souvenirs à Cléopâtre, des lettres d'Alexandre le Grand à Aristote, des courriers de Jeanne d'Arc ou de Charlemagne, et même de Lazare le ressuscité ou de Judas… Une folie.

A-t-il des circonstances atténuantes ?

Le cas Michel Chasles est tout à fait incompréhensible.

On ne peut pas être bon partout ; un grand mathématicien et un être avisé… Heureusement, ses collègues de l'Institut prirent les choses à la blague. Mais il y eut un procès, qui fit crouler de rire toute la France.

LA PAÏVA
Courtisane et espionne
1869

Vaniteuse et stupide, elle incarne la courtisane du Second Empire dans ce qu'elles eurent de pire.

La Païva eut pour amants – ou plus exactement pour « clients » – tous les hommes fortunés de son temps. Malheureusement, à partir de 1869, elle commença, paraît-il, à donner des renseignements mili-taires à Bismarck. Unanimement considérée comme une espionne, elle ne fut pourtant chassée de France qu'en 1878.

Elle est nulle !

Son « tempérament » est à l'origine de la construction de l'un des palais les plus extravagants de Paris, au bas des Champs-Élysées.

La légende raconte que, cherchant fortune dans le quartier alors en construction, la Païva tomba un jour épuisée à l'endroit même où serait construit bien plus tard cet immeuble.

Elle divaguait : *« Je restais là, regardant passer les calèches. Sans envies, parce que je savais qu'un temps viendrait où je roulerais, moi aussi, et couverte de diamants. »* Elle aurait alors déclaré : *« C'est ici que s'élèvera mon hôtel. »*

Elle y parvint en profitant des largesses du prince Henckel von Donnersmarck, cousin de Bismarck, qui investit dans l'opération une partie de son immense fortune. Et c'est là le problème. Car elle se servit sans doute de ses relations dans tous les mondes pour informer son bienfaiteur prussien et son dangereux cousin.

Prostituée passe, mais espionne…

A-t-elle des circonstances atténuantes ?

C'était une femme libre dans un monde masculin.

Thérèse Lachmann fit fortune avec son tempérament. Elle naquit dans le ghetto de Moscou en 1819.

Après des débuts dans la galanterie, elle épousa en juin 1851 le marquis Albino-Franceso de Païva-Aranjo. Joli nom ! Le couple dura quelques mois.

Puis le marquis partit et se suicida en 1872 dans l'indifférence générale.

On pouvait croiser chez elle les lions des lettres de la seconde moitié du XIXe siècle : Émile de Girardin, les frères Goncourt, qui médisaient évidemment à longueur de pages de leur hôtesse à la suite de chaque visite, Théophile Gautier, Sainte-Beuve, Taine…

C'était donc aussi une femme de goût. Mais aussi un peu avare. Napoléon III, qui fut son amant, avait fait à son propos un commentaire définitif : *« Elle ne parle que du prix de ses meubles ! »* C'est sans doute à ce trait de caractère que la Païva dut d'être surnommée « la paye y va ».

LE PRINCE NAPOLÉON
L'assassin d'un journaliste
JANVIER 1870

Il y a des tarés dans toutes les familles. Chez les Bonaparte, c'était le prince Pierre-Napoléon Bonaparte, septième enfant de Lucien Bonaparte, le frère de l'empereur. Violent et ombrageux, il s'est rendu célèbre pour une seule raison : l'assassinat du journaliste Victor Noir.

Il est nul !

Le 10 janvier 1870, le journaliste se rend au domicile du prince à Auteuil en compagnie de ses amis Paschal Grousset et Ulric de Fonvielle. Ils sont mandatés par Henri Rochefort, journaliste à *La Marseillaise*, qui a été provoqué en duel par le prince Napoléon. Plutôt que de les recevoir avec la noblesse et l'élégance qui président d'ordinaire à ce genre de  rencontre, le prince injurie ses visiteurs. Rochefort avait traité les Bonaparte de bêtes féroces, le prince lui avait répondu par un flot d'injures dans un quotidien corse. Il persiste : *« J'ai provoqué monsieur Rochefort, dit-il alors, parce qu'il est le porte-drapeau de la crapule. »* Il jette à terre une lettre que lui tend Victor Noir ; celui-ci lui répond par une gifle ; le prince sort alors un revolver de sa veste et tire à bout portant sur le journaliste.

A-t-il des circonstances atténuantes ?

Non.

C'est un imbécile, le fils dévoyé d'une grande famille.

Même l'empereur lui conseille de partir à l'étranger à la suite de la réunion de la Haute Cour de justice, seule habilitée à juger un prince de la famille de l'empereur. Le prince est acquitté contre toute attente.

Les funérailles de sa victime furent d'une ampleur exceptionnelle et à deux doigts d'être à l'origine d'émeutes et d'une insurrection. La troupe y veilla. Aujourd'hui, le souvenir de la mort de Victor Noir est lié à l'étonnante statue de gisant décorant sa tombe au cimetière du Père-Lachaise, les plis de son pantalon laissant deviner une belle protubérance…

AGÉNOR DE GRAMONT
À l'origine de la guerre de 1870
1870

La guerre de 70, c'est lui, c'est de sa faute, il l'a bien cherchée…

Il n'est évidemment pas le seul à avoir mis de l'huile sur le feu, puis ce même feu aux poudres, mais Agénor de Gramont, duc de Guiche, ancien diplomate, était au poste de ministre des Affaires étrangères dans les semaines précédant le conflit qu'il a en grande partie provoqué par ses déclarations malveillantes et son agitation fort peu diplomatique.

Il est nul !

L'État prussien n'était pas
encore l'ennemi, mais Gramont
s'ingénia à ce qu'il le devienne
en tentant d'organiser une
alliance avec l'Autriche. Rien de
bien grave, c'est de la diplomatie.
Mais surtout il réagit de la pire
des façons lorsqu'il apparut que
le trône espagnol, vacant depuis
l'abdication d'Élisabeth II,
risquait de revenir à Léopold de
Hohenzollern-Sigmaringen, un membre collatéral de
la famille régnant en Prusse. Napoléon III et Gramont
s'y opposèrent de manière véhémente en public et fort
peu courtoise en privé. Le 6 juillet 1870, Agénor de
Gramont prononce un discours d'une rare violence et
d'une insondable bêtise face au corps législatif, où il
apparaît que les Prussiens sont des moins que rien qui
n'ont qu'à faire attention parce que, si on voulait…

La Prusse répond à cette agitation et à l'opposition
de la France dans l'affaire espagnole en envoyant aux
chancelleries allemandes la « dépêche d'Ems », un
courrier vachard exigeant que cette affaire de succession espagnole soit vite réglée.

La presse française s'en empare dans une traduction
d'ailleurs imparfaite et encore plus méprisante. Les
bêtises de Gramont ont porté leurs fruits

A-t-il des circonstances atténuantes ?

Non, car plutôt que de se repentir de ses bêtises il
accusa « la France » – dans une lettre à un ami envoyée

149

en 1871 – d'être responsable du désastre qu'il avait lui-même provoqué. *« Pour moi, j'avoue que de toutes les pertes, la plus cruelle est celle que j'ai faite en perdant ma foi dans mon pays et l'estime que j'avais pour le caractère français. Ayant vécu vingt ans à l'étranger, je ne croyais pas à tant d'ignorance, de vanité, de faiblesse et de mensonges. Ce pauvre pays me semble pourri jusqu'à la moelle des os. »*

Pourtant, la perte de l'Alsace-Lorraine, le siège de Paris et la Commune qui s'ensuivirent n'avaient sans doute pas pour uniques responsables les seules agitations d'un homme – fût-il ministre des Affaires étrangères.

FRANÇOIS ACHILLE BAZAINE

Le désastre de 1870, c'est lui !

AOÛT 1870

La guerre de 1870 contre la Prusse était perdue d'avance ; il acheva le travail.

Elle était mal engagée, sans raisons vraiment dignes de susciter un conflit, évidemment mal préparée puisque quasi spontanée et menée face à un ennemi dont on mésestimait totalement les forces.

Encore fallait-il la perdre réellement ! Des militaires s'y employèrent, au premier rang desquels le maréchal Bazaine, commandant en chef de l'armée du Rhin

Il est nul !

Même ses subordonnés s'en rendirent compte.

Le 12 août 1870, alors que les troupes prussiennes déferlent sur la France, Bazaine organise le repli – la débandade serait le mot le plus juste – de l'armée française vers Châlons-sur-Marne. En trois semaines, après une véritable guerre éclair, les soldats français sont déjà condamnés à une retraite piteuse… que Bazaine transforme en gigantesque chaos. Au lieu de se retourner et de combattre  les troupes de l'armée ennemie, qui montrent alors des signes de faiblesse, il s'enferme dans la ville de Metz. Pire encore, il refuse de mettre ses troupes au service d'autres généraux qui bataillent héroïquement à deux pas. Il renvoie vertement sur les roses le général Canrobert qui l'appelle au secours après la bataille de Saint-Privat, il ne réagit pas davantage contre l'armée prussienne alors qu'elle a été battue durant la bataille de Mars-la-Tour.

Obsédé par le risque révolutionnaire et républicain, il enferme son armée pour la mettre au service de la lutte contre-révolutionnaire, quitte à devoir pactiser avec l'ennemi.

La chute de Sedan le 2 septembre ne suffit pas à le décider à réagir. L'armée du Rhin, qui aurait pu retourner le conflit au bénéfice de la France, reste enfermée à Metz. Paris est assiégé, la France connaît une véritable tragédie, il s'en fiche et, à la tête d'une armée qui n'a pas combattu depuis des mois, capitule gentiment le 27 octobre.

Gambetta, qui quitte Paris en ballon pour tenter de rallier les troupes françaises éparses et mener la reconquête, l'accuse de traîtrise.

A-t-il des circonstances atténuantes ?

Non, on a beau chercher, aucune.

Cette guerre était sans doute perdue d'avance, mais il a grandement participé à cet échec, le transformant en véritable catastrophe militaire.

GASTON ALEXANDRE AUGUSTE DE GALLIFFET

Il *réprime la Commune dans le sang*

AOÛT 1870

La période est particulièrement riche en imbéciles… L'empereur a abdiqué, son empire de pacotille vole en éclats, les armées prussiennes envahissent le territoire et assiègent Paris ; la Commune, un mouvement de révolte populaire contre cette situation absurde, prend des allures d'insurrection. À la guerre étrangère, déclenchée par des imbéciles et perdue par des généraux encore plus stupides, succède une guerre civile.

Alors que Paris s'insurge, le gouvernement français s'installe à Versailles. Un homme est chargé de la répression de la Commune : le général Galliffet.

Il est nul !

Plutôt que de négocier avec les communards – dont les revendications, lorsqu'on les regarde d'un peu près, ne dépassent guère le stade de la mise sur pied d'un régime démocratique –, les Versaillais décidèrent de réprimer l'insurrection avec une extrême violence. Galliffet, l'un des vaincus de la bataille de Sedan, reprend du service à la tête de la cavalerie de l'armée de Versailles.

Le 21 mai 1871 commence la « semaine sanglante ». Les hommes de Galliffet reconquièrent Paris, barricade après barricade. Sur les 20 000 fusillés communards, des historiens affirment que 3000 furent les victimes « personnelles » de Galliffet, car le général désignait lui-même qui devait mourir (avec une prédilection pour les vieillards, dont il déclarait qu'ils étaient « plus coupables que les autres »). Il fit ainsi fusiller 111 prisonniers à cheveux blancs dans les fossés de Passy.

A-t-il des circonstances atténuantes ?

Il assumait.

Lorsque des députés socialistes l'accueillirent à la Chambre en criant « Assassin ! », il répondit « Assassin ? Présent ! » Et pourtant, en 1899, c'est lui qui demanda la révision de l'affaire Dreyfus et la conclut d'une phrase lapidaire : « L'incident est clos. »

La IIIᵉ République

Cette fois, ça y est, la France en a fini avec l'obscurantisme. La République, tant espérée, réussit à s'imposer… Jamais plus elle ne connaîtra l'humiliation d'avoir à sa tête des personnages stupides ou malveillants, puisqu'ils seront désormais élus par l'élite de la nation. Perdu ! Les débuts de la République furent au contraire particulièrement propices à l'émergence de petits bonshommes désolants d'imbécillité, preuve, s'il en était besoin, que le régime politique ne change rien à l'affaire.

HENRI V
Celui qui aurait pu être roi
JANVIER 1872

Il avait le pouvoir à sa portée ; il l'a laissé passer pour une stupide histoire de drapeau.

Le petit-fils de Charles X aurait pu restaurer la monarchie française dans le cadre d'un consensus, mais, par obstination – et, disons-le, par stupidité –, il a préféré laisser passer une occasion qui ne s'est jamais reproduite depuis. Les royalistes ne lui disent pas merci.

Il est nul !

La France est en loques, vaincue par la Prusse, amputée de l'Alsace-Lorraine, bousculée par la Commune de Paris et sa répression, privée de régime politique depuis l'implosion de l'Empire…

Henri, duc d'Artois, apparaît comme l'homme idéal pour restaurer une troisième fois la monarchie. Il descend en ligne directe des Bourbons par son grand-père Charles X et – une qualité bien rare en cette période troublée – il a eu un comportement presque héroïque durant le conflit qui s'achève. Exilé en Prusse, il avait

157

fait le choix de rallier la cause de la France et appeler à combattre aux côtés de son pays envahi par ses propres amis. Le 1er septembre, il lance un appel à « repousser l'invasion ». Bref, il assure… alors qu'il aurait pu se contenter d'être ramené sur le trône dans les bagages des envahisseurs, comme pépé.

Le trône lui tend les bras. L'assemblée élue en février 1871 comporte une écrasante majorité de monarchistes. Le 8 juin 1871, les lois interdisant aux descendants des Bourbons de revenir sur le territoire français sont abolies. Henri, duc d'Artois, comte de Chambord, lance un appel : *« Je suis prêt à tout pour relever mon pays de ses ruines et à reprendre son rang dans le monde. »* Et tout le monde semble convaincu qu'il est dans son droit et que ce serait ce qu'il pourrait arriver de mieux à la France.

Mais non, monsieur Henri fait son caprice. Il refuse d'entendre parler de ce fichu drapeau bleu, blanc, rouge qui rappelle de très mauvais souvenirs à sa famille. Il fait du retour au drapeau blanc comme emblème de la France un point d'honneur non négociable… La querelle dure. En 1872, il se justifie : *« Je n'arbore pas un nouveau drapeau, je maintiens celui de la France. »*

En 1873, le gouvernement de Thiers est renversé après qu'il eut déclaré le retour à la monarchie impossible à cause de ce fichu drapeau. Mac-Mahon – royaliste – le remplace, les Bourbons et les Orléans se rabibochent, les députés royalistes mettent en place un projet de constitution, on fait fabriquer les carrosses du futur sacre ; il paraît impossible que la France ne redevienne pas une monarchie. Mais Henri V s'en tient toujours à son drapeau blanc. Lassée, la commission chargée de préparer son retour sur le trône cesse ses travaux le 31 octobre 1873.

Comprenant qu'il a mal joué, Henri V rentre clandestinement en France et tente d'approcher Mac-Mahon pour se faire introniser par l'Assemblée. Mac-Mahon refuse, la République s'installe. Dans l'esprit des monarchistes, il s'agit d'une mesure provisoire dans l'attente de l'émergence d'un prétendant un peu moins crétin – en l'occurrence le comte de Paris, alors mineur.

Mais c'en est bien fini de la monarchie ; tout cela à cause d'un drapeau.

A-t-il des circonstances atténuantes ?

Un suicide politique est toujours difficile à analyser. Mais la bêtise et l'obstination à ce degré-là, c'est grandiose.

PATRICE DE MAC-MAHON
Que d'eau, que d'eau...
MAI 1873

L e comte de Mac-Mahon, troisième président de la République française, est aujourd'hui connu pour une seule raison, une réflexion idiote : « Que d'eau, que d'eau. »

Il est nul !

Visitant Toulouse, en proie à l'une des plus terrifiantes crues de la Garonne, il fut interrogé par des journalistes lui demandant ses sentiments. Il ne sut que répondre « Que d'eau, que d'eau ». C'est un peu court.

A-t-il des circonstances atténuantes ?

Sans doute, oui. Sa carrière ne se résume pas à cette idiotie.

Arrivé au pouvoir au profit de circonstances un peu indépendantes de sa volonté, il n'en abusa pas, inventant l'expression « être au-dessus des partis ». Malheureusement, il le laissa à des gens souvent beaucoup moins recommandables que lui, en l'occurrence les ineffables partisans du « retour à l'ordre moral ». Cette bonhomie cachait un tacticien retors. Ainsi, le 16 mai 1877, alors que la gauche venait de remporter les élections législatives autour de Léon Gambetta, Mac-Mahon, le monarchiste – tout aussi « au-dessus des partis » qu'il soit –, tenta un coup de force en refusant le résultat des élections et en nommant un premier ministre monarchiste, Albert de Broglie.

Le gentil radoteur était aussi un politicien féroce. Mais pas vraiment non plus un fin stratège, car le résultat de la « crise du 16 mai » est une déroute électorale. Les républicains remportent la nouvelle élection consécutive à la dissolution de la Chambre.

Que d'eau, que d'eau !

JULES GRÉVY
Victime de son gendre
OCTOBRE 1887

On ne surveille jamais assez sa famille – surtout sa famille « par alliance ». Le président de la République Jules Grévy en fit l'amère expérience lorsqu'il dut démissionner le 2 décembre 1887 à la suite d'une malheureuse affaire familiale : son gendre Daniel Wilson monnayait l'attribution de la Légion d'honneur...

Il est nul !

L'affaire des décorations jeta un jour assez cruel sur les pratiques du monde politique des débuts de la République. Jules Grévy, ancien président de la Chambre des députés, élu à la présidence de la République le 30 janvier 1879, avait donc un gendre.

Daniel Wilson, issu d'une famille britannique richissime implantée au Creusot, député d'Indre et Loire, membre du Parti radical, propriétaire du journal *L'Union libérale*, avait épousé sa fille Alice.

Une belle famille unie qui fut fort troublée lorsque le 7 octobre 1887 la presse révéla que Daniel Wilson avait une manie assez amusante : pour achever de convaincre les hommes d'affaires qu'il souhaitait voir entrer au capital de ses entreprises, il leur proposait de leur faire octroyer la Légion d'honneur.

Et pour faire bonne mesure, il lui arrivait aussi de vendre – littéralement – l'attribution des décorations au tarif forfaitaire de 25 000 francs. L'argent était reversé alors dans les caisses de journaux de province.

Clemenceau et Jules Ferry se déchaînèrent sur le président Grévy qu'ils accusèrent d'avoir – par son incompétence – couvert l'affaire. Grévy démissionna.

A-t-il des circonstances atténuantes ?

C'est pas moi, c'est mon gendre ! À part ça, on ne voit pas.

Le gendre – Daniel Wilson – s'en tira d'ailleurs fort bien. Dans un premier temps, protégé par son immunité parlementaire, il continua de siéger, jusqu'à son procès où il fut acquitté… tout simplement parce qu'on ne savait pas trop quel délit lui reprocher. Pour obtenir l'attribution de décorations, Wilson soudoyait des députés qui constituaient les dossiers. On essaya donc de le faire condamner pour corruption de fonctionnaires, mais les députés ne sont pas fonctionnaires…

Tout de même, ça la fichait mal. Les mésaventures familiales de Jules Grévy eurent pour conséquence l'affaiblissement de la jeune République. Son successeur, Sadi Carnot, fut d'ailleurs assassiné, mais Grévy n'y est pour rien.

LE GÉNÉRAL BOULANGER

Il rate son coup d'Etat

SEPTEMBRE 1891

Le général Boulanger, pour des raisons qui nous apparaîtraient totalement incompréhensibles aujourd'hui, fut à deux doigts de s'emparer du pouvoir en France.

Boulanger, officier devenu ministre de la Guerre, apparut comme un recours contre la République, bénéficiant du soutien conjoint des bonapartistes et des monarchistes… Tout semblait lui sourire, le pouvoir était à prendre, il le laissa filer, par indécision, faiblesse de caractère, manque de sens politique…

Il est nul !

Face aux républicains, les droites se cherchent un chef et le trouvent en la personne de ce militaire qui sait plaire aux électeurs – au point d'avoir réussi l'exploit de se faire élire dans trois ou quatre départements à la fois. Il ne manque pas de soutiens : les royalistes, à commencer par la duchesse d'Uzès ou Philippe d'Orléans qui financent son mouvement, tout comme des représentants de la banque et de la haute finance.

Le 27 janvier 1889, à l'occasion d'une élection partielle, il se présente à Paris et remporte un succès de grande ampleur. Ses partisans, réunis place de la

Madeleine, s'organisent en cortège. Près de 50 000 personnes se proposent de porter leur champion à l'Élysée, pour un coup d'État imparable.

Et il refuse !

Rassuré et inquiet à la fois, le pouvoir décide de le poursuivre pour menée révolutionnaire. Boulanger perd peu à peu ses plus fervents soutiens, effarés et déçus par son refus de prendre le pouvoir qui lui semblait offert en janvier 1889.

Le 4 avril 1889, l'Assemblée vote la levée de son immunité parlementaire, il est condamné par contumace pour « complot contre la sûreté intérieure », détournement des deniers publics, corruption, prévarication, etc. Mais il est déjà bien loin, en exil à Bruxelles avec sa maîtresse, madame de Bonnemains, laquelle meurt en 1891.

A-t-il des circonstances atténuantes ?

En ne prenant pas le pouvoir, il a certainement évité à la France la mise en place d'un régime politique détestable.

Remercions-le donc de ces atermoiements. Boulanger était sans doute aussi stupide que populaire.

Et puis il se suicida par amour sur la tombe de sa maîtresse à Ixelles, dans la banlieue chic de Bruxelles.

JOSEPH PUJOL

Le Pétomane

1892

On le connaît mieux sous son nom de scène : le Pétomane !

Il est nul !

Peut-on imaginer une activité aussi grossière, un spectacle aussi dégradant que ce qui rendit célèbre le jeune Joseph Pujol. Très jeune, il avait remarqué qu'il possédait une étonnante faculté en maîtrisant ses muscles abdominaux. Il pouvait donner plus ou moins d'intensité aux « vents » qu'il produisait, et même, comble du bon goût, interpréter des petites chansons avec ses sphincters. Bref, il faisait de la musique en pétant.

Ce petit talent n'aurait jamais dû quitter les chambrées des casernes. Il se trouva pourtant des directeurs de music-hall pour l'engager. Il fut la vedette incontestable des spectacles du Moulin-Rouge, et cela dura jusqu'au début de la Première Guerre mondiale…

A-t-il des circonstances atténuantes ?

Son public. Car il y avait un public pour ce genre de bêtises. Qui est alors vraiment nul ? Lui ou ces milliers de gens qui vinrent l'applaudir ?

LÉON BOURGEOIS
Inventeur... de l'impôt sur le revenu !
1895

Il y a des manières plus élégantes d'entrer dans l'histoire : Léon Bourgeois a inventé l'impôt sur le revenu.

Il est nul !

Ministre, président du Conseil, il tenta en 1895 d'imposer l'impôt général progressif sur le revenu. La droite de l'Assemblée refuse cette perspective et le pousse à démissionner

A-t-il des circonstances atténuantes ?

Oh oui !
Le système antérieur était pire. Et puis il fut renversé pour avoir eu cette idée, preuve sans doute que c'en était une bonne.
Mais surtout, ce qu'on a du mal à avaler quand on passe à la caisse, Léon Bourgeois est un visionnaire, qui songeait ainsi, en faisant « payer les riches », à rétablir l'égalité entre les contribuables. Et toute sa carrière est animée par la même fibre sociale. Il a instauré la retraite pour tous les ouvriers. Il fut par la suite le premier président de la Société des Nations et reçut le prix Nobel de la paix.

LE GÉNÉRAL ARTHUR GONSE
L'embrouilleur de l'affaire Dreyfus
NOVEMBRE 1896

L'affaire Dreyfus n'est pas qu'une sorte de vaste complot – ou de vaste gâchis – nourri par les fantasmes antisémites ; ce fut aussi une suite de belles bourdes causées par l'incompétence coupable de certains de ses acteurs.

Le général Gonse, totalement aveuglé par ses convictions, refusa jusqu'au bout d'admettre l'innocence de Dreyfus, même lorsqu'on lui en présenta les preuves évidentes.

Il est nul !

Alfred Dreyfus a été condamné à la réclusion à perpétuité en 1894. Pourtant, un faisceau de présomptions laisse supposer qu'il n'est peut-être pas coupable du crime d'espionnage dont on l'accuse. L'un des responsables du renseignement, le général André, mène une contre-enquête dans ses propres services et découvre que de nombreuses pièces favorables à l'accusé n'ont pas été communiquées au Conseil de guerre qui a jugé Dreyfus, que des documents ont été falsifiés ou inventés, que les prétendus aveux de Dreyfus n'ont jamais été prononcés…

Et pourtant, le général Gonse les avait rapportés noir sur blanc, affirmant que Dreyfus les avait faits à un officier de la Garde républicaine.

Mais Gonse n'en reste pas là. Le 1er novembre 1896, alors que l'innocence de Dreyfus va être établie, Hubert Henry fabrique un faux grossier laissant entendre que l'ambassade d'Allemagne elle-même accuse Dreyfus. Et le général Gonse affirme y croire parce que ça l'arrange, lui qui aurait déclaré concernant Dreyfus : « *Qu'est-ce que cela peut vous faire qu'il reste à l'île du Diable ?* »

Il faudra encore attendre 10 ans pour que la Cour de cassation innocente Dreyfus.

A-t-il des circonstances atténuantes ?

Non, mais qui en avait ?

Toute cette affaire a déclenché des torrents de haine inexplicables aujourd'hui. Gonse est allé au bout de la logique qui animait tous les antidreyfusards : Dreyfus était coupable parce qu'il était juif. Et, si par malheur il se révélait innocent, il devait tout de même être coupable parce qu'il était toujours juif.

LE BARON DE MACKAU
Organisateur du Bazar de la Charité
MAI 1897

L'incendie du Bazar de la Charité fut le drame le plus épouvantable de la fin du XIXe siècle : 121

personnes moururent brûlées vives dans l'incendie d'un chapiteau dressé pour une fête de charité.

Parmi les victimes identifiées, 106 femmes, mortes pour la plupart à cause de l'innommable égoïsme des hommes présents durant l'incendie. Pourtant, la responsabilité du drame a reposé sur les épaules d'un seul d'entre eux : l'organisateur de la fête tragique, le baron de Mackau.

Il est nul !

Aucune commission de sécurité, aucun pompier de service, aucune compagnie d'assurances n'accepterait aujourd'hui que se déroule une manifestation dans les conditions de ce qu'organisa le baron sur un terrain situé non loin de l'avenue Montaigne. Les stands destinés à la vente de charité sont installés dans une  vaste tente en toile goudronnée – très inflammable –, meublée d'échoppes en bois et en toile imitant un marché médiéval. Des centaines de vendeuses – appartenant toutes à la plus haute noblesse – et de clients fortunés vont s'y retrouver.

Parmi les attractions de la journée, une projection cinématographique, la nouvelle folie du moment. Au projectionniste qui s'inquiète de la manière que seront installés ses appareils, le baron de Mackau répond qu'ils seront placés derrière des rideaux goudronnés, tout comme les bidons de produits inflammables qui servent à alimenter la lampe du projecteur.

C'est la cause du drame : à 16 h 30, un retour de flamme du projecteur met le feu aux rideaux. L'incendie se propage rapidement au velum protégeant le Bazar, et c'est la panique.

Les 1200 invités se précipitent vers les issues, trop peu nombreuses et trop étroites. Certaines rescapées sont sauvées par les cuisiniers de l'hôtel du Palais, dont la cour jouxte l'arrière du chapiteau.

Mais de nombreuses jeunes filles du grand monde n'ont pas cette chance.

Elles meurent brûlées vives, leurs robes enflammées les transforment en torches vivantes, quand elles ne sont pas piétinées par la foule.

Joli travail, cher baron !

A-t-il des circonstances atténuantes ?

Bien davantage, sans doute, que tous ces petits messieurs de la haute société française qui piétinèrent des femmes pour se frayer un passage vers la sortie.

Le lendemain, *Le Journal* du 14 mai 1897 publie cette interrogation : « *Parmi ces hommes (ils étaient environ deux cents), on en cite deux qui furent admirables et jusqu'à dix en tout qui firent leur devoir. Le reste détala, non seulement ne sauvant personne, mais encore se frayant un passage dans la chair féminine, à coups de pied, à coups de poing, à coups de talon, à coups de canne.* »

Le baron, au moins, n'était pas de ceux-là.

JEAN-BAPTISTE MARCHAND
Humilié à Fachoda
SEPTEMBRE 1898

Fachoda ! Être humilié par les Anglais, une habitude française ! La « crise de Fachoda » reste dans l'imaginaire nationaliste l'un de ces moments pénibles, terrifiants pour notre ego.

Le héros malheureux de cette aventure se déroulant au Soudan incarne la victime, incapable de défendre notre honneur face à la perfide Albion. Marchand et sa troupe, humiliés, ont dû abandonner ce poste militaire aux troupes anglaises. La honte.

Il est nul !

Cet incident aujourd'hui bien oublié opposait deux troupes et deux logiques coloniales. Jean-Baptiste Marchand guide une expédition, la mission Congo-Nil, dont l'objectif est de tracer des routes et organiser des conquêtes de manière à étendre l'empire colonial français des rives de l'Atlantique à celles de la mer Rouge. Pour leur part, les troupes anglaises s'ingénient à relier Le Caire au Cap par une éventuelle future ligne de chemin de fer qui

assiérait leur emprise économique sur le continent. Les deux grandes puissances coloniales convoitent également la maîtrise des sources du Nil, qui est au cœur du dispositif.

Fachoda est à l'intersection de ces deux logiques et de ces deux parcours. En juillet 1898, la colonne Marchand arrive à Fachoda, aujourd'hui Kodok, à 650 kilomètres au sud de Khartoum. Mais, quelques semaines plus tard, il y est rejoint par les troupes anglaises de Lord Kitchener. Celui-ci vient de livrer une bataille glorieuse à Omdurman, qui marque la conquête du Soudan par l'Angleterre et ses alliés égyptiens. Aussitôt, le ton monte entre les deux troupes perdues au cœur de l'Afrique. Qui devra céder et quitter les lieux ?

La nouvelle de ce conflit local se répand en Europe, et le ton monte encore plus rapidement entre les deux pays qu'entre leurs représentants locaux. L'ambassadeur Chodron de Courcel – l'arrière-grand-oncle de Bernadette Chirac – fait part de son désarroi à Théophile Delcassé, le ministre des Affaires étrangères. Les Anglais semblent bien proches de vouloir faire la guerre pour régler la situation.

La Royal Navy vient même parader au large de Brest et des côtes tunisiennes. Et tout le monde en Europe verrait bien d'un bon œil que les deux grandes puissances coloniales se battent.

A-t-il des circonstances atténuantes ?

Mais oui ! Il a été humilié, et sur ordre, mais pour préserver la paix. « L'incident de Fachoda », s'il avait dégénéré en guerre, eût sans doute changé la face de l'Europe et affaibli la France et l'Angleterre face à la Prusse ou à la Russie. Pauvre petit Marchand, héros malheureux d'un conflit qui le dépassait.

JACQUES LEBAUDY
Empereur du Sahara
MAI 1903

Jacques Iᵉʳ, empereur du Sahara ! Qui en a entendu parler ? Quasiment personne, car il s'agit d'un royaume imaginaire, dont le souverain est un bel exemple de dingue.

Jacques Lebaudy est le souverain de cette nation fondée en 1903, dont il se trouve être à la fois le souverain, presque 10 % du peuple et la seule autorité l'ayant reconnue.

Il est nul !

Si les folies de Jacques Lebaudy s'étaient arrêtées là, il n'y aurait sans doute rien à en dire. Mais ce fils du grand industriel du sucre et philanthrope Jules Lebaudy est aussi une brute. Son désir de quitter la France et de conquérir l'Afrique serait né d'une altercation avec son concierge au cours de laquelle il aurait reçu un seau d'eau sale. Il décida donc de s'éloigner du peuple  et d'aller fonder un empire pour lui tout seul dans un coin désertique du Sahara.

Il s'embarque à Fécamp sur sa goélette la *Frasquita*. Il recrute des mercenaires dans les îles Canaries, puis débarque sur les côtes mauritaniennes, dans la Bay of Justice, où il fonde son « empire » sur un coin de sable que les rares autochtones ne songent même pas à lui contester. Là où l'histoire se gâte, c'est qu'il décide alors de vendre comme esclave une partie de sa troupe. Pourtant, ces marins sont citoyens français... Abandonnés à leur triste sort, ils sont sauvés quelque temps plus tard par l'équipage d'une frégate française.

À la suite de cette grosse bêtise, Jacques Lebaudy a des ennuis avec la police française, est contraint de quitter son empire et émigre aux États-Unis, sans pour autant renoncer à ses prérogatives « d'empereur du Sahara ».

Par la suite, les folies de Jacques Ier prirent un tour plus privé. Après avoir épousé l'actrice Augustine Dellière, avec qui il a une fille, il commence à se lamenter de ne pas avoir d'héritier mâle. Il attend donc patiemment que sa propre fille grandisse et, un jour, écrit à Augustine : « *Madame, je vous informe que j'ai pris la décision de violer notre fille cet après-midi. Je vous conseille de ne pas vous opposer à mes projets.* » Les deux femmes s'enferment, Jacques Ier tente de les enfumer et de les brûler vives. Augustine se saisit d'un revolver et tue son mari, l'empereur tenté par l'inceste.

A-t-il des circonstances atténuantes ?

Il est fou !
Circonstance atténuante par excellence... Mais il ne faut pas exagérer.

HUBERT LATHAM
Le grand endormi
JUILLET 1909

Être le premier homme à franchir la Manche en aéroplane, quel exploit ! Vive Louis Blériot ! Mais le deuxième, ou celui qui a échoué, quel personnage insignifiant… Tel est le sort d'Hubert Latham. Il fait partie des oubliés de l'histoire de l'aviation alors qu'il n'a échoué que d'un souffle ou, pire encore, parce qu'il a oublié de se réveiller le jour J.

Il est nul !

Avec son cousin Jacques Faure, Latham a pourtant traversé la Manche en deux jours dès 1905. Mais c'était en ballon.

Comme bon nombre d'amateurs de ballons libres et de ballons dirigeables, il se convertit ensuite au plus lourd que l'air après avoir assisté à un vol des frères Wright.

Il devient donc pilote d'avion au service de la société Antoinette. Le journal anglais le *Daily Mail* offre un prix au premier aviateur réussissant à traverser la Manche. Hubert Latham est sur les rangs. Le 19 juillet 1909, il décolle d'un champ situé à Sangatte à bord de son *Antoinette IV*. La France entière est persuadée qu'il va réussir, les paris vont bon train et lui-même a risqué une grosse somme sur ses chances de traverser la Manche avant le 1er août. Le vol se déroule bien, la victoire semble acquise, quand, au bout d'une dizaine de kilomètres, le moteur commence à avoir des ratés. L'appareil, ingouvernable, plonge vers la mer où il se pose miraculeusement sans débats. Latham est ramené vers la côte française à bord de son navire d'escorte. Il est trempé mais confiant : son avion sera réparé à temps pour retenter l'exploit. Ce pourrait être chose faite dès le 25 juillet 1909. Pourtant, à 5 h 15, un autre pilote s'envole de Sangatte. Il s'appelle Louis Blériot, il a investi jusqu'à son dernier sou dans la construction de son *Blériot XI*. On connaît la suite : la Manche est vaincue ! Et Latham ? Il avait oublié de se réveiller… Seul le bruit de l'avion de son concurrent prenant son envol l'avait sorti de son profond sommeil.

A-t-il des circonstances atténuantes ?

Un acte manqué ? Un complot ? Sinon, on ne voit pas.

FRANÇOIS REICHELT
Inventeur suicidaire...
FÉVRIER 1912

Le dimanche 4 février 1912, un homme harnaché dans une sorte de grand sac de toile est installé sur une plate-forme au premier étage de la tour Eiffel. Une caméra le filme tandis qu'il tourne en rond, hésite, semble se décider, hésite encore… Puis il s'élance et saute dans le vide. Sa chute interminable se termine 57 mètres plus bas en creusant un cratère dans le sol gelé.

Le costume parachute de François Reichelt n'est décidément pas au point.

Il est nul !

Franz Reichelt, récemment natura- lisé français – et rebaptisé François –, n'était qu'un modeste tailleur du quar- tier de l'Opéra en proie à de grands rêves. Il voulait voler comme un oiseau. Il avait testé son invention en habillant des mannequins qu'il jetait dans la cour de son immeuble rue Gaillon à Paris. Et malgré les échecs successifs de ses essais, il avait persisté et décidé de le tester lui- même, d'abord en se jetant d'une dizaine  de mètres sur des bottes de paille à Joinville – échec, encore ! –, puis en s'élançant du premier étage de la tour Eiffel où il avait convoqué la presse. On ne peut pas dire qu'il n'ait pas cherché ce qui lui est arrivé.

A-t-il des circonstances atténuantes ?

Mort au service de la science, c'est grand et noble. Et puis l'idée n'était pas si mauvaise. Aujourd'hui, des « hommes volants » sillonnent le ciel dans des costumes ailés qui ressemblent à s'y méprendre à son invention.

Par ailleurs, malgré la folie évidente de son entre- prise, personne ne songea à l'en dissuader, pas plus les journalistes présents que la police.

La Guerre de 14-18

Assez de plaisanteries ! Nous abordons maintenant l'un des épisodes les plus glorieux de notre histoire. Des millions de jeunes héros sont morts au champ d'honneur pour protéger la France de l'invasion des Teutons… Des héros, tous !

Aucun nul ne s'est glissé parmi eux.

Parmi eux, non. À leur tête, si !

Durant la guerre, les plus nuls des militaires furent malheureusement ceux qui conduisirent ces millions de jeunes gens à la mort. Et dans les années qui suivirent, ce ne fut guère mieux. Mais, au moins, les nuls de l'entre-deux-guerres ne tuèrent presque personne.

LE MARÉCHAL JOFFRE
Un militaire catastrophique
1916

Le maréchal Joseph Jacques Césaire Joffre est un héros. Il a réussi à stabiliser le front au début de la Première Guerre mondiale, évitant sans doute l'avancée des troupes allemandes. Mais à quel prix ? Chacun le sait : au prix de centaines de milliers de vies humaines, des jeunes soldats français envoyés à une mort certaine au nom d'une stratégie obsolète et débile : la guerre à outrance.

Il est nul !

Et même ses collègues militaires le savaient sans doute.

Joffre, âgé d'une quarantaine d'années au début du conflit, n'a pas fréquenté les écoles militaires où l'on enseigne les formes modernes de l'art de la guerre. Il en est resté aux charges des cavaliers de la Grande Armée et, faute de chevaux, c'est à pied qu'il fait charger ses soldats… Il s'emporte au passage contre la fin de la « furia française » ; pour lui, les premiers échecs de la guerre sont la conséquence de la mollesse des troupes françaises.

À la vérité, il ne comprend rien à rien. C'est un imbécile et une brute ; il ne s'inquiète pratiquement pas de la supériorité des troupes allemandes en matière de transports, capables d'amener vers le front, en train et en camion, des armées fraîches et joyeuses.

Il ne s'inquiète pas davantage de l'exposition de ses troupes aux tirs d'artillerie. Quant à la possibilité d'utiliser des chars, il n'y songe même pas. C'est à peine s'il sait que cette invention existe.

Cette série de méconnaissances des arcanes de la « guerre moderne » ferait simplement ricaner si elle n'avait eu pour conséquences des centaines de charges absurdes sous le feu de l'ennemi qui se soldèrent par 370 000 morts, pour la plupart strictement inutiles.

Par ailleurs, il semblerait que Joffre fût un grand menteur ayant caché à ses chefs les désastres causés par son incompétence.

Et plutôt que d'admettre ses échecs, il en accuse ses subordonnés, des dizaines de militaires qu'il envoie en exil à Limoges, ce qui est au passage à l'origine de l'expression « limoger ».

A-t-il des circonstances atténuantes ?

On lui remit son bâton de maréchal en 1916, pour éviter d'avoir à s'interroger davantage sur ses talents réels de stratège. Joffre était peut-être nul, mais il allait y avoir pire : son remplaçant Nivelle…

Le général Robert Georges Nivelle

Un militaire catastrophique... encore !

AVRIL 1917

L e général Nivelle remplace Joffre au rang de commandant en chef des armées en 1917. C'est lui qui lance la féroce offensive du Chemin des Dames.

Un échec sanglant. Une boucherie causée par l'incompétence tragique d'un militaire borné.

Il est nul !

La guerre s'est enlisée dans les tranchées et dans la « guerre d'usure ». Nivelle décide d'en finir et de revenir aux fondamentaux de la guerre à la française, « l'attaque brusquée ». Il promet à la Commission armée de la Chambre des députés que la victoire sera rapide. Les Allemands vont voir ce qu'ils vont voir. Les braves soldats français vont déferler sur eux et... Et rien, car les Allemands étaient sans  doute prévenus de la date et de la forme de l'offensive. Nivelle n'est pas du genre discret. Il bavarde avec les dames dans les salons, s'épanche auprès des journalistes... Les Allemands s'emparent même d'une copie de son plan d'attaque oublié dans une tranchée qu'ils avaient conquise. Pour un commandant en chef, ce n'est pas très malin. L'offensive du 16 avril 1917 et la bataille du Chemin des Dames furent un échec et causèrent la mort de centaines de milliers de soldats, français et anglais, les troupes britanniques ayant été pour leur malheur placées sous commandement français.

La guerre de 14-18 n'avait jamais été jusque-là une partie de plaisir, mais avec « l'offensive Nivelle » elle bascula dans l'horreur absolue.

Les mutineries de 1917, célébrées dans *La Chanson de Craonne*, furent causées par cette boucherie et eurent pour conséquences les condamnations à mort de soldats français fusillés « pour l'exemple ».

En décembre 1917, Nivelle est relevé de son commandement, et on l'envoie s'occuper des troupes en Afrique du Nord.

A-t-il des circonstances atténuantes ?

On dirait que la bêtise était un mal assez répandu chez les militaires de cette époque. Mais Nivelle, non, décidément, ça ne passe pas. Il incarne la bêtise militaire criminelle, le commandant en chef insensible aux malheurs de ses hommes.

PAUL DESCHANEL
Un président qui tombe du train !
MAI 1920

Les présidents de la IIIe République n'ont jamais brillé par leur personnalité. Certains moururent assassinés ou dans les bras de leur maîtresse, d'autres furent d'une fadeur consternante.

Et puis il y a Paul Deschanel, le président fou, célèbre pour être tombé d'un train une nuit de mai 1920.

Il est nul !

Donc, dans la soirée du 23 mai 1920, le train présidentiel s'en allait en voyage officiel à Montbrison quand… Eh bien, on ne sait pas exactement ce qu'il se passa. Il était 23 h 15, le train roulait lentement, traversant le village de Mignerette, dans le Loiret, non loin de Montargis. Le président a sans doute voulu se pencher à la fenêtre pour respirer. Dans la nuit, un ouvrier cheminot chargé de protéger des travaux le long de la voie découvre un homme ensanglanté et hébété, seulement vêtu d'un pyjama en loques, qui prétend être le président de la République. Un couple de gardes-barrières s'empresse de le soigner. Plus tard, la garde-barrière déclarera : « *J'avais bien vu que c'était un monsieur : il avait les pieds propres !* »

La gendarmerie de Corbeilles est prévenue… L'information se répand assez vite pour que les membres du cortège officiel qui l'attendent en gare de Roanne découvrent à la fois la disparition du président de son compartiment et apprennent la nouvelle de sa découverte.

A-t-il des circonstances atténuantes ?

Il a eu un moment d'égarement, dont on parle encore près d'un siècle plus tard. Pourtant, l'homme valait

185

bien plus que les galéjades qu'inspira son étonnante mésaventure. Avant d'accéder à la fonction suprême, il avait été élu député de l'Eure-et-Loir et président de la Chambre des députés. Écrivain, il avait publié de nombreux ouvrages qui lui valurent d'être élu à l'Académie française en mai 1899. Une belle carrière de notable… gâchée par cette stupide histoire de porte de train qui fermait mal.

Par ailleurs, la cause de son accident ne relevait pas réellement de la « folie », comme on l'écrivit avec délices, mais plutôt d'une forme de somnambulisme. Rien de bien grave, donc, mais le mal était fait.

PAUL BRANDON
Le *député* ridiculisé
1928

La postérité aurait sans doute oublié d'enregistrer le souvenir de l'existence du député Paul Brandon s'il n'avait été ridiculisé par son principal opposant durant les élections législatives de 1928, le dénommé Paul Duconnaud.

Il est nul !

Paul Duconnaud était marchand de violettes à la sauvette, un peu clochard, un peu imbibé, sur le boulevard Saint-Michel. Les étudiants du Quartier latin avaient réussi à le décider à se présenter aux élections contre Paul Brandon, député sortant. Pour se moquer des prétentions de son opposant, qui se déclarait « architecte-urbaniste », le fleuriste se déclara « ingénieur-pépiniériste ».

Quant au programme, il tournait principalement autour de la riposte à la décision de Paul Brandon qui avait mis le feu aux poudres et déclenché la colère des étudiants : la suppression des pissotières sur le boulevard Saint-Michel.

Aussi, les professions de foi de Paul Duconnaud commençaient par cette revendication sans appel : « *Le Quartier latin doit pisser au Quartier latin !* »

La campagne électorale de 1928 dans le Ve arrondissement est riche en événements burlesques. Dans un état d'ébriété très avancé, le candidat Duconnaud participe à une réunion publique rue Victor-Cousin.

D'une voix pâteuse, il annonce le contenu de son programme que lui souffle un étudiant caché sous la table : suppression des impôts, transformation du quai Saint-Michel en gare maritime, toutes sortes de balivernes qui rappellent les canulars d'Alphonse Allais et de son *Captain Cap*. Le pauvre député Brandon subit les attaques sans broncher, mais il déchanta le jour des résultats du premier tour. Ballottage !

Grands seigneurs, ses adversaires participèrent à la campagne du second tour en recouvrant ses affiches d'un bandeau proclamant : « *Voter Brandon, c'est encore voter pour Duconnaud.* » Paul Brandon était à coup sûr ridiculisé.

A-t-il des circonstances atténuantes ?

Mais oui. Il n'avait rien fait, le pauvre. C'est un grand classique de la vie politique française : des candidats farfelus ridiculisent les candidats « sérieux » qui ont bien du mal à exprimer leurs idées face aux fadaises de leurs concurrents.

ANDRÉ MAGINOT
Créateur de forteresses inutiles et coûteuses
1929

Au printemps 1940, les armées allemandes déferlèrent sur la France après avoir traversé la Belgique à tombeau ouvert.

Aucun obstacle ne sembla devoir les arrêter et certainement pas les fortifications qui devaient protéger le pays contre toutes formes d'invasion : la ligne de monsieur Maginot.

Il est nul !

Maginot fait partie des premiers ministères suivant la guerre de 14-18. Il est d'abord ministre des Pensions, ce qui l'amène à s'occuper du sort des anciens combattants, puis ministre de la Guerre du gouvernement Raymond Poincaré en 1922.

Il se met aussitôt à son grand dessein : faire construire une ligne de fortification défendant les frontières de l'est de la France contre de nouvelles tentatives d'invasion allemande.

Il s'agit de défendre l'Alsace et la Lorraine, les bassins miniers qui assurent la richesse de la France, et de servir de bases arrière à une éventuelle contre-attaque française. Le projet est longuement mis au point durant les années 1920.

Et quand Maginot cesse d'être ministre, il poursuit encore son œuvre en levant des fonds pour que ses successeurs puissent mettre « sa ligne » en chantier.

Les constructions et leurs systèmes de défense sont impressionnants : des dizaines de casemates souterraines, pouvant accueillir jusqu'à des centaines d'hommes, des centaines de canons, des tourelles, des millions de tonnes de béton... et un bel investissement de la part des contribuables, qui se chiffre aux alentours de deux millions de nos euros.

Quant au résultat... On le sait, les troupes allemandes, à bord de leurs engins motorisés, traversèrent la Belgique, la Hollande et le Luxembourg, et pénétrèrent en France par la partie la moins fortifiée. Dans la doctrine Maginot, les Allemands ne devaient pas oser agir ainsi puisque le nord de l'Europe se trouvait sous le feu anglais. Il n'empêche qu'ils l'ont fait et qu'ils ont aussi pilonnés et détruit bon nombre d'ouvrages de la ligne Maginot qu'ils ont ailleurs occupés ensuite durant leur présence sur notre sol.

A-t-il des circonstances atténuantes ?

La construction de la ligne Maginot part d'un très bon sentiment et d'une réaction contre la boucherie et les centaines de millions de morts parmi les troupes françaises durant la Première Guerre mondiale.

En protégeant le pays derrière ces remparts, Maginot souhaitait éviter à la jeunesse de France un nouveau bain de sang. Soyons indulgent : ça se tenait et c'était une œuvre au service d'un projet humaniste.

Mais bon, c'est loupé !

1940
et l'Occupation

Les heures les plus tragiques de notre histoire, mais aussi une période durant laquelle se levèrent des héros, la Résistance, les maquisards, les jeunes combattants de la Libération de Paris… Toute la France résistait au joug nazi.

Sauf les nuls, et bon nombre de salauds. Certains personnages appartenant aux deux catégories.

Maurice Gamelin
Artisan de la défaite de 1940
1940

L'inaction de Gamelin durant ce qu'on a appelé la « drôle de guerre » reste encore un mystère.

Le général commandant de l'armée française se montra d'une passivité déconcertante alors que les troupes allemandes semblaient pouvoir être vaincues. Et quand l'ennemi attaqua – là où on ne l'attendait pas, certes – Gamelin ajouta l'erreur à l'erreur en ne combattant jamais là où il aurait dû le faire.

Il est nul !

La France, à l'instigation de Gamelin, choisit donc de ne pas combattre et de s'enferrer dans la « drôle de guerre », une période d'attente passive à l'abri des remparts illusoires de la ligne Maginot. Le général massa le gros de ses troupes derrière la muraille, répartit quelques divisions derrières les Ardennes,

réputées infranchissables – et ce, malgré les appels des militaires présents sur place qui sentaient bien qu'on courait à la catastrophe –, et mit au point une tactique assez fumeuse pour aller éventuellement combattre en Belgique jusque sur les rives de la Dyle.

Il envoya par ailleurs la 7e armée du général Giraud au contact des troupes hollandaises, selon un mouvement qu'il baptisa la « variante de Breda », ce qui eut pour conséquence principale d'éloigner de la zone de front véritable les meilleurs éléments de l'armée et la quasi-totalité de l'aviation française.

Par ailleurs, Gamelin ne comprenait rien à rien en matière de guerre moderne. Il avait une vision statique des opérations et considérait que l'usage de forces motorisées rapides ou de l'aviation était encore très exotique et impossible sur le territoire français, malgré ce qui était visiblement en action en Pologne. Ce goût pour l'immobilisme l'empêcha même de voir que les troupes allemandes défendant la ligne Siegfried auraient pu sans doute être balayées dès le début du conflit tandis que le gros de l'armée d'Hitler était mobilisé à l'Est.

La France aurait pu ainsi purement et simplement gagner la guerre en 1939, mais Gamelin préférait rester tranquille derrière son infranchissable ligne Maginot.

A-t-il des circonstances atténuantes ?

Le président du Conseil lui-même pensa que non. Paul Reynaud vira Gamelin dès le 17 mai 1940, mais il était déjà bien trop tard. La « percée de Sedan » venait déjà d'ouvrir largement les portes du territoire français à l'ennemi. L'invasion était en route. Gamelin n'avait rien compris, rien vu, rien empêché.

MARCEL GENSOUL
Responsable du désastre
de Mers el-Kébir
JUILLET 1940

Une humiliation, une de plus ! Une défaite navale, une de plus ! Contre l'Angleterre, encore !

Mais cette fois-ci, à la honte habituelle s'ajoute un sentiment d'incompréhension : le vice-amiral d'escadre Marcel Gensoul, par son ignorance totale du sens de la guerre qui commençait, a laissé l'Angleterre détruire les plus beaux fleurons de la flotte française de Méditerranée et vu mourir 1300 marins français.

Mers el-Kébir est à ce jour notre dernier désastre naval.

Il est nul !

Résumons-nous : la France est envahie, et le maréchal Pétain appelle à l'armistice séparé avec l'Allemagne lorsque la flotte britannique de Méditerranée vient prendre position face à Mers el-Kébir, un port situé près d'Oran. Le vice-amiral Gensoul y est à la tête d'une escadre composée d'une trentaine de navires de guerre et de six sous-marins. En application des traités antérieurs liant la France à l'Angleterre, l'amiral James Sommerville, à la tête d'une flotte supérieure en nombre, vient

aimablement demander à Gensoul de rejoindre la flotte britannique dans son combat contre les forces de l'Axe.

En cas de refus, il lui propose trois portes de sortie : le sabordage, le départ vers les ports français des Antilles, ou faire route vers les ports américains jusqu'à la fin du conflit.

Gensoul refuse !

Il doit attendre les ordres de Vichy. Mais ils tardent à venir, car le gouvernement du maréchal Pétain doit lui-même attendre l'avis des Allemands. Et puis, dans le même temps, l'amiral Darlan, par le biais du vice-amiral Le Luc, fait savoir en douce à Gensoul qu'il doit temporiser en attendant que les flottes françaises basées à Alger et Toulon viennent à son secours.

Les Anglais ont intercepté le message. La bataille navale s'engage et fait 1300 morts côté français. La flotte est quasi détruite.

De Gaulle justifia l'attaque en écrivant : « *Le gouvernement* [...] *avait consenti à livrer les navires à la discrétion de l'ennemi. Il n'y a pas le moindre doute qu'en principe et par nécessité l'ennemi les aurait employés soit contre l'Angleterre, soit contre notre propre Empire. Eh bien, je le dis sans ambages, il vaut mieux qu'ils aient été détruits.* »

A-t-il des circonstances atténuantes ?

La France vivait une période d'aveuglement... Mais à ce point-là ! Gensoul, en ralliant la flotte britannique, aurait sans doute pu porter des coups décisifs contre la marine allemande.

Il préféra se faire canarder dans un port, dont ses navires ne pouvaient pas sortir...

ABEL BONNARD
Collabo et fier de l'être
AVRIL 1942

A bel Bonnard incarne la collaboration avec l'ennemi nazi.

Il en est le propagandiste, l'idéologue et l'un des acteurs les plus agissants durant les années sombres de l'Occupation. Il a participé à la création du « Groupe collaboration », publié des horreurs dans *Je suis partout*, encouragé à la création de la Légion des volontaires français contre le bolchevisme...

Il est nul !

Un ancien élève de l'École du Louvre, installé quelque temps à la villa Médicis de Rome, un ancien journaliste de talent, un poète, un grand voyageur, l'un de ceux qui surent décrire la Chine au début du XXᵉ siècle, le biographe de Stendhal, de saint François d'Assise, membre de l'Académie française, bref, un intellectuel, un « honnête homme » cultivé, sans doute intelligent n'en est pas moins devenu un parfait salaud...

Mais cela ne datait pas de l'invasion allemande. Abel Bonnard, entre deux publications sur ses voyages en Afrique ou en Asie, était un fervent royaliste – ce qui n'est pas un crime – et un propagandiste forcené de l'antisémitisme et de l'antiparlementarisme, ce qui commence à le devenir. Il quitte rapidement l'Action française pour rejoindre le Parti populaire français de Jacques Doriot, et c'est presque naturellement qu'au début de l'Occupation il devient un propagandiste de la collaboration. Le régime de Vichy et Pétain lui semblent un peu mous. Il préfère pactiser directement avec les représentants de l'idéologie qui lui convient le mieux : les nazis.

En avril 1942, toute cette agitation porte ses fruits : Pierre Laval l'appelle au gouvernement au poste de ministre de l'Éducation nationale et de la Jeunesse.

A-t-il des circonstances atténuantes ?

Il faudrait chercher davantage, mais a priori, non. Sinon d'avoir porté un surnom rigolo – quoiqu'homophobe – que lui avait donné le journaliste Jean Galtier-Boissière, constatant son homosexualité et sa proximité avec les nazis : Gestapette.

Il échappera à la condamnation à mort en s'exilant en Espagne après avoir été parmi les fuyards pathétiques de Sigmaringen. Franco le fait tout de même emprisonner un an. Il tente de revenir en France en 1960 où il est rejugé et condamné à 10 années de bannissement, mais à partir de 1945. Il repart…

GASTON BRUNETON
L'organisateur du STO
AVRIL 1942

Il serait assez tentant de faire entrer dans cette vaste catégorie des « nuls » tous les ministres ayant participé aux différents ministères des gouvernements de Philippe Pétain. Mais certains sont plus nuls que d'autres, comme Bruneton, qui soutint, sous des prétextes « sociaux », l'organisation STO, le Service du travail obligatoire, qui prit la forme de véritables travaux forcés en Allemagne et dont furent victimes des milliers de jeunes Français.

Il est nul !

On ne peut imaginer pareil aveuglement. Gaston Bruneton avait été nommé par le gouvernement de Vichy pour organiser « l'action sociale » auprès des travailleurs installés – de force – en Allemagne. Cette mission très vaguement humanitaire le conduisit à collaborer au plus près avec le Front du travail allemand, une organisation sinistre qui planifiait l'esclavage de millions  de travailleurs prisonniers. Le 6 avril 1942, il est donc nommé chef du Service de la main-d'œuvre française en Allemagne, nomination qui institutionnalise son action auprès des nazis.

A-t-il des circonstances atténuantes ?

Non. Il fut l'organisateur d'une vaste opération et de mise en esclavage de travailleurs français. Totalement voué à la cause de l'envahisseur, il organisa également le chantage et les menaces destinés à dissuader les éventuels réfractaires au STO.

Et comme si cela ne suffisait pas, il approuva bruyamment la répression sanglante contre les maquis.

Seuls acquis « sociaux » de la mission confiée à Bruneton : l'envoi aux travailleurs forcés de costumes qu'ils baptisèrent d'ailleurs des « costumes Bruneton ». C'est un peu maigre. Il se constitua prisonnier à Berlin en avril 1945 et fut jugé en 1948. Condamné à quatre ans de prison, il reprit à sa libération un métier d'ingénieur qu'il n'aurait jamais dû abandonner.

LE PRÉSIDENT CAOUS
Le magistrat des basses besognes
FÉVRIER 1942

Les nazis ou le gouvernement de Vichy trouvèrent toujours au sein de la magistrature des juges prêts à oublier les règles fondamentales du droit pour participer à des parodies de justice. C'est le cas du président Caous qui dirigea le procès de Riom, au cours duquel furent jugés Édouard Daladier, ancien ministre de la Guerre, Gamelin, le chef d'état-major français, ou Léon Blum, président du Conseil sous le Front populaire.

Il s'agissait évidemment d'un procès politique, sans réels fondements juridiques...

Et pourtant, le président Caous présida.

Il est nul !

Le régime de Vichy voulait faire condamner les hommes politiques du Front populaire – au premier rang desquels Léon Blum – pour avoir été la cause de la défaite de 1940 en promulguant des lois absurdes à ses yeux – les congés payés ou les quarante heures – ou en nommant à des postes de responsabilité des militaires incapables. L'acte constitutionnel n° 5, en date du 30 juillet 1940, avait donc institué une « cour suprême de justice », installée à Riom, ayant à la fois la fonction de magistrat instructeur et de chambre de mise en accusation. Sa mission officielle : « *Juger les ministres, les anciens ministres ou leurs subordonnés immédiats [...] accusés d'avoir trahi les devoirs de leur charge dans les actes qui ont concouru au passage de l'état de paix à l'état de guerre avant le 4 septembre 1939 et dans ceux qui ont ultérieurement aggravé les conséquences de la situation ainsi créée.* »

Neuf juges siègent à Riom à partir du 19 février 1942, sous la présidence du dénommé Caous. Un article contemporain décrit la scène : « *Lorsque l'huissier audiencier annonçait "la Cour suprême", derrière le président Caous, revêtu de rouge, portant collet d'hermine et simarre, faisaient leur entrée le procureur général et huit juges, dont deux en uniforme de vice-amiral et de général et un en toge universitaire...* » Malheureusement pour la cour, le procès se transforme rapidement en tribune, en particulier pour Léon Blum qui exalte les vertus de la démocratie et de la république dans une enceinte qui se proposait d'en condamner les effets pernicieux.

Submergé par les talents oratoires des inculpés, le président Caous ne présida bientôt plus rien. Hitler lui-même se déclara alors excédé par la manière dont se déroulait le procès : « *Ce que nous attendions de Riom, c'est une prise de position sur la responsabilité du fait même de la guerre !* » Les travaux du tribunal sont suspendus en avril 1942.

A-t-il des circonstances atténuantes ?

Après la Libération, il vint plaider à nouveau pour tenter de démontrer la légitimité du tribunal de Riom. Bizarrement, sa seule excuse est son incompétence puisqu'il se révéla totalement incapable d'exécuter les basses besognes qu'on attendait de lui alors qu'il en avait tous les moyens.

JULES-HENRI DESFOURNEAUX
Le bourreau de la Résistance
JUILLET 1943

Bourreau, un métier nul… par nature. Mais certains bourreaux se révélèrent encore pires que la moyenne de leurs confrères. C'est le cas de Desfourneaux, qui participa durant l'Occupation à l'exécution de résistants, de simples militants communistes et de femmes.

Il est nul !

Desfourneaux a ainsi guillotiné Marie-Louise Giraud, le 30 juillet 1943 à la prison de la Roquette. Incarnée à l'écran par Isabelle Huppert dans le film *Une affaire de femme*, elle était coupable d'avortements clandestins. Desfourneaux n'en exprima jamais le moindre remords, pas plus qu'il ne douta de la légitimité de l'exécution de résistants et de patriotes.

A-t-il des circonstances atténuantes ?

Le métier de bourreau était une tradition familiale ; on se le trans-mettait de père en fils, depuis que papa, habile mécanicien, était devenu l'ami puis le collabora-teur d'Anatole Deibler, l'exécu-teur des basses œuvres. Il épousa d'ailleurs sa nièce. Comment échapper à ce destin sanglant ?... Il avait débuté dans la carrière en exécutant le même jour les quatre principaux membres de la bande  des « chauffeurs du Nord ». Pour lui, donc, les crimes organisés dont il fut l'instrument durant l'Occupation faisaient partie de sa routine professionnelle.

Il devint le bourreau officiel après la mort de Deibler, victime d'une embolie en 1939, juste à la veille d'une exécution.

Ce n'est évidemment pas une excuse. D'autant moins que ses adjoints, élevés pourtant dans les mêmes traditions familiales, démissionnèrent de leurs fonc-tions pour ne pas avoir à participer à des crimes qui les répugnaient. On peut être sensible et patriote même lorsqu'on exerce cet étrange métier.

Desfourneaux ne fut pourtant pas inquiété à la Libération et reprit son petit travail. Son premier client fut le docteur Petiot. Deux hommes qui avaient en commun une certaine propension à l'assassinat d'innocents. Et puis il exécuta encore une femme à Angers en 1949, avant de sombrer dans l'alcoolisme et la dépression. Son cousin – et neveu de Deibler –, André Obrecht, l'un de ceux qui avaient démissionné en 1943, prit sa succession au titre d'exécuteur en chef des arrêts criminels de la République française.

MAGDA FONTANGES
L'espionne ridicule
1943

L es belles espionnes ne sont pas toutes des génies de l'intrigue. Il peut même leur arriver d'être de parfaites idiotes.

C'est vraisemblablement le cas de Magda Fontanges, agent des services secrets allemands infiltrée en France occupée, qui réussit à lasser ses propres employeurs par ses bêtises à répétition. À sa mort, on la traita de « Mata Hari de pacotille ».

Elle est nulle !

Madeleine Coraboeuf, rebaptisée Magda Fontanges le temps d'une brève carrière d'actrice – qui lui valut de côtoyer Fernandel –, eut une vie des plus romanesques. Journaliste pour le quotidien genevois *La Liberté*, elle débarque à Rome en 1935 pour réaliser une interview de Mussolini, dont elle devient brièvement la maîtresse. Elle vend aussitôt sa belle histoire à la revue *Confessions* et au *Times* sous le titre « J'ai été la maîtresse de Mussolini », ce qui lui vaut d'être

expulsée d'Italie. Très mécontente et persuadée que son expulsion a été ordonnée par le comte de Chambrun, ambassadeur de France à Rome, elle lui tire dessus, le loupe et se retrouve condamnée à une peine d'un an de prison avec sursis.

Sa vie est ensuite une longue série d'expulsions pour des motifs divers. Elle est virée tour à tour des États-Unis, d'Allemagne et d'Espagne, où elle essayait d'entrer clandestinement. C'est à la suite de cette dernière mésaventure qu'elle est recrutée par l'Abwehr, alors qu'elle purge une peine de prison à Bayonne.

Les Allemands lui font obtenir un emploi au quotidien *Paris-Soir*, une couverture idéale pour informer les services secrets des éventuelles activités résistantes dans la capitale. Mais dans le même temps elle informe le gouvernement de Vichy de ce qui se passe en Italie... Et puis elle se lie avec le patron de la Gestapo française, Henri Lafont, dont elle devient la maîtresse.

Lassés de ses frasques, les Allemands préfèrent s'en passer. Ce qui n'empêche pas Magda Fontanges d'être condamnée à la Libération à 15 ans de travaux forcés pour collaboration.

A-t-elle des circonstances atténuantes ?

Elle est assez distrayante dans son genre. Sa vie est une succession de frasques, d'aventures absurdes, de très mauvaises fréquentations et parfois de mauvaises actions.

Ainsi, libérée en 1952, elle refait parler d'elle dès 1955 après avoir tenté de voler une toile d'Utrillo à l'avocat Floriot. Elle est alors internée dans un asile psychiatrique et se suicide quelque temps après en avoir été libérée.

La IVe et la Ve
République

La guerre est finie, la France se relève…
Adieu nullité ! À voir…

MARTHE RICHARD

Fausse espionne et vraie prostituée

1946

Mythomane, voire réellement menteuse, héroïne de pacotille, connue pour une campagne de salubrité publique qui était surtout destinée à effacer les traces de son passé sulfureux, Marthe Richard restera célèbre pour avoir contribué à la fermeture des maisons closes – dont elle connaissait bien le fonctionnement pour en avoir été elle-même une pensionnaire efficace.

Elle est nulle !

Interpellée pour racolage en 1905 à l'âge de 16 ans à Nancy, pensionnaire dans une maison de passe dans cette ville de garnison, puis d'un établissement plus huppé de la rue Godot-de-Mauroy à Paris, elle figurait donc en bonne place dans le fichier de la prostitution…, ce qui aurait été la principale motivation de sa campagne pour la fermeture des maisons closes, bien des années plus tard. Elle souhaitait alors « donner une nouvelle chance » aux filles libérées des bordels en faisant détruire ce fichier infamant… Tu parles !

Mais Marthe Richard ne se résume pas à son combat suspect contre la prostitution qui s'acheva avec la décision de fermer les maisons en 1946. Sa vie est une succession de véritables exploits et d'autres sortant tout droit de son imagination fertile. Mariée à un richissime mandataire aux Halles, elle se passionne pour l'aviation et devient la sixième femme française à détenir le brevet de pilote. Mais, non contente de la réputation flatteuse que lui donne ce statut de pionnière, elle s'invente des exploits. Ainsi, elle affirme avoir relié Le Crotoy à Zurich pour un meeting en 1914, alors que son avion a fait une grande partie du parcours démonté dans un camion. Durant la Première Guerre mondiale, elle s'invente une belle carrière d'espionne au service de la France – ce qui fut par la suite et toute sa vie son fonds de commerce et son principal titre de gloire. Malheureusement, il semblerait que ses prétendus chefs aient au contraire tout fait pour la dissuader d'agir en leur nom, tant ils la trouvaient voyante et agitée.

Durant la Seconde Guerre mondiale, elle recommence ses frasques, se faisant intégrer in extremis à la Résistance après avoir fricoté avec quelques membres bien compromettants de la collaboration. Et c'est à la Libération que se place l'épisode de la croisade pour la fermeture des maisons closes, qu'elle mène depuis le Conseil de Paris, où elle a été élue sur la liste de la Résistance unifiée.

A-t-elle des circonstances atténuantes ?

Le Canard enchaîné lui avait trouvé un surnom délectable : la « Veuve qui clôt ». Et puis la « fermeture » des maisons déjà closes fut la source de bien des plaisante-ries et d'une littérature aussi abondante que drolatique.

En revanche, on peut encore s'interroger sur l'effet bénéfique de cette mesure sur l'éradication ou la mora-lisation de la prostitution. Quant à la mythomanie…, Marthe Richard vécut des périodes de l'histoire de France où c'était une attitude assez répandue.

Ces pseudo-aventures furent portées à l'écran le temps d'un film involontairement hilarant : *Marthe Richard au service de la France* avec Edwige Feuillère.

FERDINAND LOP
Le putschiste du Quartier Latin
1946

En mai 1946, un étrange person-nage tente un coup d'État depuis le Quartier latin. L'entreprise échoua, et ses conséquences ne dépassèrent pas les limites du QG des comploteurs, la Taverne du Panthéon sur le boulevard Saint-Michel.

Le héros de cette tentative avortée de régénérer la vie politique française s'en expliqua par la suite : « *La seule raison de l'échec de notre putsch en mai dernier est que le gouvernement nous craint. Mais la route royale du pouvoir est désor-mais ouverte. Le grand démocrate et républicain qu'est Ferdinand Lop régnera sous le nom de Napoléon IV.* »

Il est nul !

Ce petit bonhomme à la fine moustache et aux grosses lunettes d'écaille fut pendant trois quarts de siècle l'un des héros du Quartier latin et l'habituel candidat farfelu à toutes les élections. Ses professions de foi ne manquaient pas d'ambitions, comme ces déclarations datant également de 1946 : *« Que le général de Gaulle puisse être l'homme providentiel semble trop ordinaire sur la rive gauche. Pour les étudiants, un seul homme peut changer le destin de la nation : le magnétique Ferdinand Lop, professeur, éditeur, poète, peintre, politologue et candidat perpétuel du Quartier latin à la présidence. »*

Le candidat perpétuel proposait des solutions simples aux grands problèmes de l'heure : pose d'un toboggan place de la Sorbonne pour le *« délassement des étudiants »,* installation de Paris à la campagne pour que ses habitants respirent un air pur, aménagement de trottoirs roulants pour faciliter le travail des péripatéticiennes, construction d'un pont de 300 mètres de large pour abriter les clochards, sans oublier l'octroi d'une pension à la femme du soldat inconnu.

A-t-il des circonstances atténuantes ?

Mais oui. D'autant que le personnage ne manquait pas de courage. Il persista dans l'excentricité durant l'Occupation alors que l'heure n'était ni à l'humour ni à la dérision. Il n'échappa que de justesse à la Gestapo en 1944, alors qu'il avait indisposé deux officiers allemands par ses plaisanteries.

Gloire, donc, à Ferdinand Lop ! À sa mort en octobre 1974, sa nécrologie rappelait qu'*« après la guerre, on le vit reparaître au Quartier latin et à Saint-Germain-des-*

Prés, proposant l'interdiction de la vente des bidets et la coupure de l'eau à partir de 21 heures afin d'encourager la natalité, se rendant à Londres pour épouser la princesse Margaret, ce qui lui valut d'être arrêté par la police britannique ». Il rencontra un jour Salvador Dali, mais fut très déçu. En sortant de son entrevue avec le maître, il déclara : *« Vous ne trouvez pas qu'il est un peu dingue ? »*

MICHEL TONY-RÉVILLON
Ministre pendant... deux jours
SEPTEMBRE 1948

La tradition française veut que toute personne ayant été ministre une seule fois dans sa vie peut être appelée ensuite « Monsieur (ou Madame) le Ministre » jusqu'à la fin de ses jours. Et personne n'a fixé la durée que devait avoir le ministère en question. Michel Tony-Révillon se fit donc appeler toute sa vie « Monsieur le Ministre » alors qu'il n'a été ministre de l'Éducation nationale que pendant 48 heures, du 5 au 7 septembre 1948, dans le gouvernement de Robert Schuman.

Il est nul !

La IVᵉ République n'a pas été le régime le plus stable qu'ait connu notre pays. Et puis nous exagérons : Michel Tony-Révillon a aussi été secrétaire d'État à la

France d'outre-mer en 1949 pendant 25 jours, et même secrétaire d'État aux Affaires économiques pendant 9 mois en 1952 dans le gouvernement d'Antoine Pinay. Une des carrières ministérielles les plus fantomatiques de l'histoire de France.

A-t-il des circonstances atténuantes ?

Avec un ministère de l'Éducation nationale qui ne dure que deux jours, on peut être certain qu'il n'a pas eu le temps de mettre en chantier une réforme absurde. Mais tout de même, c'est court.

PIERRE POUJADE
L'inventeur du « poujadisme »
JANVIER 1956

L'adjectif « poujadiste » désigne encore aujourd'hui un personnage démagogue, flirtant avec les idées de l'extrême droite et terriblement franchouillard. Il dérive du nom propre du député Pierre Poujade. Ce qui suffirait à démontrer que cet homme avait inventé un concept.

Il est nul !

Pierre Poujade est à la tête d'une révolte des petits commerçants et des artisans contre le pouvoir parisien. En 1953, il organise un petit commando de commerçants qui s'opposent violemment à un contrôle fiscal dans le village de Saint-Céré. C'est le début de la gloire. Pierre Poujade va prêcher contre « l'État vampire », « les apatrides », les « soupiers » jusqu'aux élections de 1956, où il réussit à porter à l'Assemblée nationale 52 députés de son parti l'Union et fraternité française.

A-t-il des circonstances atténuantes ?

Les gens qu'il défendit en avaient évidemment : petits commerçants et boutiquiers, victimes davantage de la crise de l'après-guerre que du fisc, mais réellement en difficulté. Poujade ne se contenta toutefois pas de défendre ; il accusa aussi, faisant porter la responsabilité des problèmes de ses confrères sur les « intellectuels », les notables, employant volontiers une phraséologie qui ressemble à celle de toutes les extrêmes droites, en  particulier lorsqu'il s'opposa à Pierre Mendès France, qui, selon lui, « *n'a de français que le mot ajouté à son nom* ». Et puis Poujade mit le pied à l'étrier à un jeune et fringant député : Jean-Marie Le Pen. Et ça !...

ANDRÉ LE TROQUER
L'organisateur des « ballets roses »
JANVIER 1959

L'homme qui fut un héros de la Première Guerre mondiale, l'avocat de Léon Blum au funeste procès de Riom, qui défila aux côtés de Charles de Gaulle le jour de sa descente des Champs-Élysées en 1944, le président de l'Assemblée nationale à deux reprises, ministre de la Défense du gouvernement Blum et le porte-parole du président Coty lorsqu'il déclara, concernant encore le général de Gaulle, que la France « *fait appel au plus illustre des Français* », ce grand personnage de l'État n'est pourtant aujourd'hui connu que pour une affaire de mœurs assez pitoyable « l'affaire des ballets roses ».

Il est nul !

À partir de janvier 1959, les journaux révélèrent en effet que des « parties fines » étaient organisées dans un pavillon de chasse de la forêt de Fausses-Reposes.

Un ancien policier rabattait des jeunes filles de 14 à 20 ans en leur proposant de rencontrer des hommes influents... Elles les rencontrèrent, certes, mais furent obligées de se dévêtir pour leur plaire et de se livrer devant eux à des chorégraphies érotiques.

Une vingtaine de personnes furent inculpées et jugées à la suite de la découverte de cette ténébreuse affaire : des directeurs de magasins, des coiffeurs, des restaurateurs, et ce pauvre Le Troquer. Sa maîtresse, l'artiste peintre et ancienne comédienne, Élisabeth Pinajeff, avait trouvé un dérivatif pour distraire son vieil amant.

A-t-il des circonstances atténuantes ?

Les fameux « ballets roses » n'ont sans doute pas eu la dimension scandaleuse qu'on imagine. Certes, les jeunes filles s'exhibèrent – parfois à l'instigation de leurs propres parents –, mais ne furent jamais ni violées ni même approchées. Le président Le Troquer, se contentait – si on peut dire – de se masturber au spectacle de leurs ballets, évidemment roses.

Il n'en était pas moins le principal organisateur de ces séances bien spéciales. Sa carrière en fut brisée.

RAYMOND HAAS-PICARD
Le préfet qui aimait trop le béton
1963

Le préfet de la Seine, monsieur Haas-Picard, a présenté en 1963 le plus extravagant projet d'urbanisme de la décennie : « *Le canal Saint-Martin devra être enterré sur toute sa longueur subsistante, jusqu'aux portes de Paris pour être recouvert par une autoroute reliant la Villette à la gare d'Austerlitz. Il serait, selon lui, enfin possible de relier les principales gares parisiennes entre elles en moins de 10 minutes… »*

Il est nul !

Durant les années 1960 et 70, Paris et quelques autres grandes villes de France ont été le théâtre d'opérations d'urbanisme délirantes, avec des conséquences souvent irréparables. Des quartiers « sur dalle » ont été construits au centre des villes, comme à Bordeaux ou à Lyon, les Halles de Baltard ont été détruites, tandis que les grands ensembles étaient construits rapidement aux portes des villes.

Seul André Malraux, ministre de la Culture du général de Gaulle, réussit à s'opposer à cette vague de destructions et de constructions hasardeuses en protégeant les quartiers anciens des grandes métropoles, le Vieux Lyon ou le Marais.

A-t-il des circonstances atténuantes ?

Le préfet Haas-Picard avait les idées de son temps. N'oublions pas qu'un grand président de la République, encensé pour son humanisme, Georges Pompidou, était lui aussi un farouche partisan du « tout pour l'automobile ». Et puis le préfet se contentait d'exposer un projet qui avait reçu l'aval de grands esprits. Il avait été voté par le Conseil de Paris dans le cadre d'un programme plus vaste au titre terrifiant : « Le plan autoroutier pour Paris. » Par ailleurs, Raymond Haas-Picard, avant d'être préfet de la Seine, fut un grand résistant, proche du Parti socialiste de Jules Moch, dont il était le représentant clandestin à Londres. On peut se tromper ; heureusement, l'irréparable ne fut pas commis.

MARCEL BARBU

« Candidat des chiens battus » à le présidentielle

1965

L a première élection présidentielle au suffrage universel se déroula en décembre 1965. Le général de Gaulle, président sortant, y affrontait François Mitterrand, représentant de la gauche unie, le centriste

Jean Lecanuet, Jean-Louis Tixier-Vignancour (porte-drapeau de l'extrême droite), le sénateur libéral Pierre Marcilhacy et un total inconnu, dont la présence incongrue fit s'esclaffer la France entière : le chef d'entreprise Marcel Barbu.

Il est nul !

C'est le premier personnage assumant un rôle qu'allait reprendre par la suite d'autres personnages farfelus ou excentriques : le « petit candidat », un simple citoyen qui profite de l'occasion particulière qu'offre l'élection présidentielle pour exposer des idées qui lui tiennent à cœur. C'est d'ailleurs pour éviter leur présence qu'on instaura la règle des parrainages d'élus locaux.

Il nous aura fait bien rire, ce Barbu. La France rigole encore de l'une de ses tirades grandiloquentes, quand il adjura le général de Gaulle d'abdiquer pendant qu'il en était encore temps et de déclarer, au bord des larmes : « *Mon général, je voudrais tant vous voir éviter le sort du maréchal Pétain.* »

Un grand moment. Il obtint 279 685 voix, représentant 1,15 % des suffrages exprimés et 0,97 % des inscrits, et arriva donc bon dernier du premier tour.

A-t-il des circonstances atténuantes ?

Mais oui. Toutes les idées que défendit ce « petit candidat » n'étaient pas forcément absurdes. Il proposait par exemple la création d'un secrétariat d'État aux

219

Droits de l'homme ou la création en France des référendums d'initiative populaire s'inspirant de ce qui existait déjà en Suisse. Et il se déclarait lui-même le « candidat des chiens battus », qui en sont encore émus.

PIERRE GRAPPIN
Le doyen qui n'a rien compris à mai 68
MAI 1968

L e vendredi 3 mai 1968, le doyen de la faculté des lettres de Paris Nanterre fait fermer son université. Sa décision met le feu aux poudres. Les étudiants se rabattent vers Paris qui connaît sa première nuit des barricades. Mais 68 commence...

Il est nul !

Le mouvement du 22 mars, dirigé par Daniel Cohn-Bendit, avait fait de Nanterre – dite « Nanterre la rouge » – la base de leur action à venir. En fermant l'université, le recteur Grappin réagissait à l'occupation de la tour administrative de la faculté.

On pourrait donc affirmer que Pierre Grappin, cet ancien élève de Normale sup, avait manqué là de jugement. En fermant Nanterre, il a poussé les étudiants banlieusards à rejoindre la Sorbonne, qui devient aussitôt une poudrière et se retrouve évacuée à son tour le jour même. Il s'ensuit la première nuit des barricades, puis l'occupation du théâtre de l'Odéon, puis d'autres nuits de violence... Et tout part de cette fermeture.

A-t-il des circonstances atténuantes ?

Oui, certainement. L'université n'avait pas alors la belle liberté dont elle jouit aujourd'hui et, s'il en avait décidé autrement, il y a fort à parier que le doyen Grappin aurait été renvoyé sur l'heure à ses chères études. Et puis Grappin était un personnage de haute volée, agrégé, résistant de la première heure... Les circonstances lui ont joué un sale tour en associant son nom à un événement qui le range du côté des vilains.

RAYMOND MARCELLIN
Le ministre des plombiers
DÉCEMBRE 1973

Un ministre de l'Intérieur qui fait commettre des mauvais coups, indignes d'un pays démocratique, il y en a sûrement eu bien d'autres... Mais Raymond Marcellin a commis un bien plus grand crime : il s'est fait prendre. Son nom est définitivement associé à « l'affaire des plombiers du *Canard enchaîné* ».

Il est nul !

Le 3 décembre 1973, le dessinateur Escaro, de passage rue des Saints-Pères où se trouve le siège de l'hebdomadaire satirique, y observe de curieux va-et-vient. Intrigué, il découvre d'étranges personnages se livrant à des travaux encore plus étranges dans les locaux du *Canard*. La personne qui lui ouvre la porte déclare faire partie d'une équipe de « plombiers » effectuant des travaux urgents. Mais lorsqu'ils disparaissent, ce ne sont pas des tuyauteries débouchées que découvrent les collaborateurs du *Canard*, mais un grand trou dans le mur et des fils qui courent partout. Une ténébreuse affaire commence.

Il apparaît bien vite que les hommes qui bricolaient dans les bureaux étaient venus y installer des micros, de manière à découvrir le nom des mystérieux informateurs du journal. Malgré ses dénégations, le ministère de l'Intérieur ne put éviter longtemps que l'on découvre qu'il s'agissait d'agents de la Direction de la surveillance du territoire. Raymond Marcellin n'avoua jamais son implication directe…

A-t-il des circonstances atténuantes ?

L'espionnage des médias existe sans doute depuis l'invention de la presse. Mais se faire prendre la main dans le sac, en quasi flagrant délit et d'une manière aussi ridicule… La honte.

Pour le punir, on le nomma ministre de l'Agriculture.

Et depuis...

Chaque jour, chaque nouvelle édition de notre quotidien du matin nous apporte notre moisson de nouveaux noms à ajouter à cette liste. Mais... mais les nuls contemporains ne sont pas forcément assurés de rester « nuls » aux yeux de l'histoire. Telle grosse bourde jugée à froid se révélera peut-être dans dix ou vingt ans une géniale intuition.

Et puis les nuls d'aujourd'hui ont des attachés de presse, des conseillers en communication, voire des avocats, toutes sortes de gens que nous n'avons pas l'intention d'avoir sur le dos.

Alors, restons-en là !

Je sais, c'est nul.

Chez le même éditeur

Petite encyclopédie insolite de l'Histoire

Charles d'Astres

Saviez-vous que qu'au XVe siècle, on jugeait des cochons tueurs dans des tribunaux ? Que la crème Chantilly a été inventée à Vaux-le-Vicomte et pas à Chantilly ? Connaissez-vous le rapport entre la fistule anale de Louis XIV et l'hymne anglais ? Et pourquoi la Tour Eiffel a-t-elle failli s'appeler Tour Boenickhausen ?
Cette petite encyclopédie fait la part belle aux personnages secondaires, aux faits minuscules.
Car la Grande Histoire est aussi faite de centaines de petites histoires. Des faits amusants, insolites et souvent moins prestigieux que la chronique officielle...
Et pourtant, ce sont aussi ces petites bizarreries et étrangetés, ces choses saugrenues qui ont influencé les grands événements.

Faits étonnants, anecdotes et petites curiosités : les dessous de l'Histoire.

ISBN : 978-2-35288-787-4

www.city-editions.com